UNE BÊTE AU PARADIS

Cécile Coulon est une romancière, nouvelliste et poétesse française. Elle publie en 2007 son premier roman, *Le Voleur de vie*, à l'âge de seize ans à peine. Autrice prolifique et protéiforme, elle a notamment écrit *Le roi n'a pas sommeil* (prix Mauvais Genres France Culture / *Le Nouvel Observateur* 2012), *Trois saisons d'orage* (Prix des libraires 2017) et *Une bête au Paradis* (Prix littéraire du *Monde* 2019). Son premier recueil de poèmes, *Les Ronces*, reçoit le prix Guillaume-Apollinaire ainsi que le prix Révélation de la poésie de la Société des gens de lettres en 2018. Elle est considérée comme « l'une des plus prometteuses nouvelles voix de la littérature française ».

CÉCILE COULON

Une bête au Paradis

L'ICONOCLASTE

Ses lèvres vinrent sur les miennes se poser
Et je sentis au cœur une vague brûlure.

Jules SUPERVIELLE, « Le portrait »

De chaque côté de la route étroite qui serpente entre des champs d'un vert épais, un vert d'orage et d'herbe, des fleurs, énormes, aux couleurs pâles, aux tiges vacillantes, des fleurs poussent en toute saison. Elles bordent ce ruban de goudron jusqu'au chemin où un pieu de bois surmonté d'un écriteau indique :

VOUS ÊTES ARRIVÉS AU PARADIS

En contrebas, le chemin, troué de flaques brunes, débouche sur une large cour : un rectangle de terre battue aux angles légèrement arrondis, mangé par l'ivraie. La grange est strictement tenue. Devant, un tracteur et une petite voiture bleue sont rangés là et nettoyés régulièrement. De l'autre côté de la cour, des poules, des oies, un coq et trois canards entrent et sortent d'un cabanon en longueur percé d'ouvertures basses. Du grain blond couvre le sol. Le poulailler donne sur une pente raide bordée par un ru que l'été assèche chaque année. À l'horizon, les Bas-Champs sont balayés par le vent, la surface du Sombre-Étang dans son renfoncement de fougères frissonne de hérons et de grenouilles.

Au centre de la cour, un arbre centenaire, aux branches assez hautes pour y pendre un homme ou un pneu, arrose de son ombre le sol, si bien qu'en automne, lorsque Blanche sort de la maison pour faire le tour du domaine, la quantité de feuilles mortes et la profondeur du rouge qui les habille lui donnent l'impression d'avancer sur une terre qui aurait saigné toute la nuit. Elle passe le poulailler, passe la grange, passe le chien, peut-être le douzième, le treizième qu'elle ait connu ici – d'ailleurs il n'a pas de nom, il s'appelle « le Chien », comme les autres avant lui –, elle trottine jusqu'à la fosse à cochons, un cercle de planches avec une porte battante fermée par un loquet que le froid coince, l'hiver. Là le sol est tanné, il a été piétiné pendant des années puis laissé à l'abandon sans qu'aucun pied, qu'aucune patte ne le foule.

Dans la fosse, si vaste pour un lieu qui n'accueille plus d'animaux, dans la fosse, Blanche se tient droite, malgré les quatre-vingts années qui alourdissent sa poitrine, balafrent son visage et transforment ses doigts en bâtons cassés.

10

La fosse est vide mais en son centre gît un bouquet de ces fleurs qui bordent le ruban de goudron menant au Paradis. Certaines ont déjà fané, d'autres – comme Blanche – sont sur le point de perdre leurs dernières couleurs. C'est un petit bouquet de campagne dans un grand cercle terreux. Les épaules chargées d'un gilet rouge, d'un rouge plus vif que celui des feuilles mortes sous l'arbre à pendaisons, elle bascule, s'agenouille devant ce petit bouquet qu'un enfant aurait pu composer pour sa première communion et en retire les tiges brunes qu'elle jette, d'un geste étonnamment vif, presque violent. Puis elle sort de la poche de ce gilet rouge, d'un rouge plus vif que le sang du Paradis, quelques fleurs encore jeunes, sur lesquelles elle souffle très doucement avant de les déposer avec les autres. Elle se tient là, prostrée devant ce petit bouquet de campagne, si joli au milieu de cette fosse que sa grand-mère, Émilienne, a fait creuser pour ses cochons. C'était il y a longtemps. Elle se souvient de tout.

Car si aucun animal n'habite plus cette arène de planches et de terre, une bête s'y recueille chaque matin.

Blanche.

Faire mal

Blanche et Alexandre firent l'amour pour la première fois pendant qu'on saignait le cochon dans la cour. Ils avaient fermé les fenêtres, sans tirer les rideaux. En bas, la fête battait son plein. L'animal gueulait comme un supplicié, les paysans voisins s'étaient rassemblés ; le sang dessinait de larges coquelicots sombres sur la terre battue. Sous le grand arbre devant la porte, Louis avait dressé des tables recouvertes de nappes aux initiales de la famille Émard. Une quarantaine de personnes assistaient à l'écoulement, les petits regardaient, les yeux écarquillés. Émilienne, au premier rang, disait : « Là, là, doucement… Le sang, gardez bien le sang. »

Au premier étage, Blanche et Alexandre, nus, se serraient, enlacés, sachant quoi faire sans savoir comment faire, sachant que ce serait douloureux sans savoir comment rendre cette douleur plus belle. L'odeur du sang dans la cour rivalisait avec celle de la peau d'Alexandre, du sexe de Blanche, ils ne sentaient plus rien qu'eux-mêmes, n'entendaient que leurs souffles mêlés, tout à la fois apeurés et soulagés de se retrouver ensemble, enfin.

D'abord, Alexandre explora la jeune fille avec ses mains et sa bouche. Elle, la tête sur les immenses oreillers bleus, le regardait. Il tenait sa taille dans ses bras, sa langue et ses doigts descendaient le long de son ventre tels des grimpeurs en manque de montagne. Avant d'enfouir ses lèvres dans le sexe de Blanche, Alexandre releva la tête, les yeux fixés sur les poils pubiens d'un brun foncé. Souriant, il désigna par la fenêtre les feuilles du grand arbre et murmura :

— C'est la même couleur.

Elle émit un rire bref, nerveux. Alexandre la caressa doucement comme on fait pour calmer les ânesses quand elles mettent bas, puis son visage disparut entre ses jambes. Les mains de Blanche, crispées sur les épaules du garçon, labouraient sa peau tout en le maintenant entre ses cuisses.

— Est-ce que ça va ?

Il la tenait contre lui, son bras sous sa nuque. Blanche semblait dormir sur son épaule mais ses yeux étaient grands ouverts. Elle ne paraissait ni triste, ni en colère. Simplement, le vert sombre de son regard s'enfonçait dans le mur face au lit, et Alexandre avait beau chercher, il ne voyait qu'un mur, au coin duquel une petite araignée, très fine, presque élégante, emmaillotait un moucheron.

— Blanche ? Est-ce que ça va ?

Son corps fut parcouru d'un frisson.

— J'ai connu mieux comme sensation, dit-elle en jouant du bout des doigts autour de son nombril.

— Ça fait si mal que ça ?

Alexandre se redressa. Il pensait avoir été doux. Elle n'avait pas crié, ni pleuré, ni demandé qu'il arrête. Il avait pensé qu'il s'en était « bien sorti » ; les hommes lui avaient dit que toutes les premières fois étaient pénibles, le mieux était que ça se fasse vite.

Blanche se redressa à son tour. Ils se tenaient droits contre les oreillers, l'air un peu solennels, les joues striées par l'empreinte des draps. Blanche ramena ses jambes entre ses bras. Tout d'un coup elle eut l'air d'une petite fille.

— Ça fait mal ?

Elle leva les yeux au plafond. Sa bouche émettait un marmonnement indistinct auquel Alexandre était habitué. Blanche triait ses mots avant de parler, elle les rangeait dans l'ordre, pour que ses phrases soient claires. En cours de français, elle faisait la même chose. Mais personne ne se moquait d'elle : elle était la petite-fille d'Émilienne.

— L'hiver dernier, j'ai marché sur une braise que le feu avait crachée devant la cheminée.

La voix de Blanche avait changé. Ce n'était plus celle d'une jeune fille qui avait mal, mais celle d'une femme qui expliquait pourquoi elle avait eu mal.

— Ça fait mal comme de marcher sur une braise, conclut-elle.

Puis elle l'embrassa rapidement, à plusieurs reprises, sur le nez et au coin des lèvres. Alexandre voulut la tenir contre lui mais elle se dégagea, sauta du lit et avança jusqu'à la fenêtre.

— La cour va sentir le sang pendant trois jours.

Le sang de cochon imprégnait tout. Son odeur enveloppait le Paradis avant que l'autan ne la pousse ailleurs. Une nappe lourde, mélange d'entrailles, d'excréments, de poils et de terre, enduisait les fourrages. Partout où l'on posait la main, les doigts plongeaient dans un grand bocal de sang chaud. Pendant trois jours, davantage si le vent ne se levait pas, le Paradis portait les éclaboussures des bêtes mortes ; rien ne servait de frotter, de laver, il suffisait d'attendre et l'odeur partait imprégner une autre terre.

— Avant ça ne me dérangeait pas, maintenant ça me donne la nausée, grogna Alexandre, assis sur le lit.

Il se rhabilla très lentement. Depuis combien de temps étaient-ils dans cette chambre ? Une heure ? Plus ? Il n'en savait rien.

Blanche et Alexandre avaient décidé du jour et du lieu de leur première fois quelques semaines plus tôt. La mère d'Alexandre était femme de ménage à l'école du village et chez le notaire, son père guichetier à la gare de la ville voisine. Le matin, leur fils partait de la maison avant eux, et le soir, rentrait après eux. Le week-end, les parents ne quittaient pas le salon, ni l'été le bout de jardin entretenu telle une huitième merveille du monde, devant le chemin de terre qui sortait à angle droit de la route principale. Impossible pour les adolescents de se retrouver là-bas. De la même façon, au Paradis, il y avait toujours quelqu'un : Émilienne s'affairait en cuisine, recevait dans la salle à manger, dormait à l'étage. Lorsqu'elle sortait « aux animaux », Louis, son commis, veillait à ce que la maison soit en ordre. Il y avait bien des fois où ces deux-là quittaient ensemble le domaine, mais jamais longtemps. D'ailleurs, Blanche détestait qu'ils s'en aillent au même moment. Consciente qu'elle hériterait, un jour, du domaine entier, s'y trouver seule l'emplissait d'angoisse. Blanche craignait de ne pas savoir s'y prendre. À seize ans elle avait encore besoin de regarder faire Louis et Émilienne, d'enregistrer leurs gestes, d'emmagasiner leurs forces pour le jour où le Paradis dépendrait entièrement d'elle. Quand la grand-mère et son commis quittaient la ferme, les vaches meuglaient à l'autre bout des Bas-Champs, les bécassines au bord de l'étang s'envolaient sur l'eau, fuyant Blanche; après la fenaison, les balles de foin, immobiles sur le sol ras, la narguaient.

Même si Blanche aimait le Paradis, elle s'y sentait petite. Les fantômes qui peuplaient les lieux prenaient toute la place.

C'était elle qui avait eu l'idée du jour du cochon.

— On reste au début, et quand tout le monde regarde le porc mourir, on disparaît. Il faudra revenir avant le départ des invités.

Alexandre n'avait rien dit. C'était ça, ou la grange, ou attendre.

Ils descendirent, Blanche la première. Louis s'affairait sur la carcasse du cochon. Lorsqu'elle avança parmi les paysans, le teint rose et frais, souriant aux uns et aux autres telle une madone distribuant ses grâces, le commis fut pris d'une sensation mauvaise. Il tenait les pattes de l'animal, liées par une corde épaisse, devant cette petite qui, ce jour-là, n'avait pas assisté à la mort du cochon, pour s'enfoncer, à l'étage, dans la peau d'un autre garçon que lui.

Protéger

Louis travaillait au Paradis depuis qu'Émilienne avait perdu sa fille, Marianne, et son gendre, Étienne, dans un accident de voiture. La grand-mère s'était retrouvée seule avec Blanche et son frère Gabriel. Elle avait eu besoin de quelqu'un à la ferme. Pas pour les enfants, pour tout le reste.

À l'époque, Louis désertait le lycée, il travaillait en douce, retardant le moment de rentrer chez lui, une espèce de chalet au bord d'un étang rempli de vase plus que d'eau. Régulièrement, son père le dérouillait. Au début il cognait sans raison, simplement parce qu'il faisait partie des hommes dont les poings avaient remplacé la bouche, les coups les mots. Peu à peu, il avait trouvé des prétextes pour attaquer plus souvent et plus fort. Selon lui, Louis rentrait trop tard, ne faisait pas assez d'efforts à l'école, traînait avec des bons à rien. Louis avait laissé le chien s'enfuir, on ne le retrouvait plus, Louis avait laissé refroidir les pommes de terre et le feu s'éteindre, Louis était bête et, surtout, Louis ne répondait pas aux cognes. Il se laissait frapper. Agile, il se cachait ; quand la nuit tombait il fallait bien rentrer, mais son père ne s'était pas calmé, au contraire. Sa mère les regardait, debout contre l'évier, secouée de rafales intérieures. Chaque trempe reçue par son fils la percutait, elle plissait les yeux, grinçait des dents, contrainte au silence, brisée par des années d'évitements, de gifles, encore porteuse d'un amour monstrueux pour ce mari plein de souffrances qu'elle ne comprenait pas. Il transférait sa douleur sur le corps des autres, celui de sa femme et de son fils, de son chien et de ses arbres.

À la mort des parents de Blanche et Gabriel, Louis s'était présenté à la ferme et avait proposé à Émilienne de l'aider jusqu'à ce que « les choses se calment ». La grand-mère, les deux petits sur les bras et personne pour la seconder, lui fit faire tout ce qu'un garçon de ferme doit savoir faire, et plus encore. Pendant un mois, Louis s'épuisa au Paradis. Les foins qu'on pousse dans la mangeoire, le choc qu'on donne au pieu pour qu'il s'enfonce droit dans la terre, les bras qu'on hisse au-dessus du bétail, ou qu'on ramène en berceau sous les veaux pour inspecter les ventres, les gorges, les mâchoires. Les kilomètres de marche entre les champs et la grange, la grange et l'étang, l'étang et la cuisine. En rentrant chez lui, quand

20

la lumière rouge du crépuscule disparaissait à la barrière de l'horizon, l'adolescent tombait dans ses rêves comme une mouche dans un verre de lait.

Un soir, alors qu'Émilienne couchait les enfants, il tapota contre la fenêtre de la salle à manger. Nuit noire. Émilienne le fit entrer. Avant qu'elle ait pu lui demander ce qu'il fabriquait à une heure pareille, Louis bascula en avant. Son nez était cassé, sa bouche fendue.

— Je ne sais pas où aller.

Émilienne ne dit rien. Elle lui remit violemment le nez en place, soigna les lèvres, et retira les vêtements du jeune homme, dont les jambes, le dos et le ventre étaient marqués de taches violacées virant au jaune paille.

— Tu vas dormir dans la chambre des parents, souffla Émilienne.

— Vous êtes sûre ?

— Tu as une meilleure idée ?

Louis désigna la grange en haussant le menton.

— Pour cette nuit, je peux aller dans le foin.

— Soit tu es très fatigué, soit tu es très bête, conclut Émilienne.

Elle le releva de la chaise où il se tenait, torse nu, en sous-vêtements et chaussettes sales, le visage ravagé par la colère paternelle, et l'accompagna.

Louis n'avait jamais vu un lit aussi large, un sol aussi propre, un édredon aussi épais. Tout paraissait irréel. Pour lui, la chambre des disparus puait forcément la mort. Pourtant, lorsque Émilienne l'allongea, il lui sembla être arrivé au bout d'un long voyage. Dans la chambre des morts, sa vie recommencerait.

Louis se réveilla le lendemain à deux heures de l'après-midi, son nez, sa bouche, ses joues traversés d'épingles gigantesques. Son corps grinçait. Il essaya de se mettre debout mais trébucha sur le sol. Soudain il entendit des pas précipités et la porte s'ouvrit à la volée sur une paire de pieds minuscules. Blanche, cinq ans, devant lui, le regardait, avec dans les yeux cette curiosité d'enfant déjà habituée aux horreurs du monde.

— Pourquoi t'es par terre alors qu'il y a un lit ? demanda-t-elle, sérieuse.

Louis essaya de répondre, mais la douleur l'immobilisa avant qu'il ait prononcé un mot. Blanche s'approcha pour lui prendre la main et quelques secondes plus tard, alors qu'il perdait conscience, une formidable poigne le redressa puis le coucha, exactement comme la veille. Il sentit l'odeur des vêtements d'Émilienne, une odeur de terre mouillée et de grain, et se rendormit jusqu'au soir.

À la nuit tombée, sur la table de chevet, un bol de soupe fumant formait des ronds d'humidité sur le mur. Émilienne, assise, une cuillère à la main, le nourrit très doucement. Lorsque la vieille eut terminé et remonté l'édredon sur lui, elle déclara d'une voix ferme :

— À partir d'aujourd'hui, tu vis ici. Dès que tu te sentiras mieux, nous parlerons.

Louis lui adressa un geste étrange, un geste de moine blessé, l'index et le majeur abaissés vers elle comme une bénédiction, puis il sombra de nouveau.

Le jeune homme ne remit jamais les pieds au chalet. Une seule fois, sa mère vint au Paradis. Prudente, Émilienne l'invita dans la cuisine, servit du café et des madeleines, puis appela Louis. Lorsqu'il aperçut sa mère par la fenêtre, il s'arrêta net.

— Ton père n'est pas là, dit Émilienne en se levant pour lui ouvrir. Viens. Elle a apporté des vêtements.

En partant, sa mère tenta une étreinte qu'il rejeta.

— Louis travaille ici. Il ne reviendra pas chez vous, sauf s'il le souhaite.

La vieille parlait à cette femme sans détour. Avec dans la voix cette fermeté de celles qui n'abandonnent rien à la violence des autres.

— C'est moi qui ai soigné votre fils, ce fameux soir.

La mère déchue étouffa un sanglot.

— Je suis désolée.

—C'est la moindre des choses, répondit Émilienne.

Puis elle se leva, pressa l'épaule du garçon et sortit. Louis voulut la suivre, mais elle se retourna et lui fit signe de rester, comme elle aurait commandé à un chien de s'asseoir devant un feu tremblant. La mère regardait son fils, dont le nez et la bouche étaient encore teintés.

—Pourquoi tu ne pars pas? dit-il en grattant de l'ongle la nappe. Il va te tuer.

Sa mère soupira.

—Bien sûr que non.

Elle avait dit cela hardiment; dans ce ton Louis comprit qu'elle aimait son mari, malgré tout ce qu'elle subissait. Elle aimait cet homme à la manière d'un animal qui suit le maître qui le bat chaque matin pour le caresser chaque soir. Alors Louis, à son tour, quitta sa place et sortit, non sans avoir pressé l'épaule de sa mère comme Émilienne avait pressé la sienne. Devant la maison, Blanche et Gabriel jouaient avec les poules. Louis avança jusqu'à la grange, retroussa les manches de sa combinaison et commença à racler le sol dans la pénombre, sans un regard ni même une larme pour la mère qu'il laissait partir.

Au début, Louis travaillait mal. Il lui manquait des savoirs simples. Les vaches s'entassaient contre les barrières quand il pénétrait dans le pré, ou refusaient de rejoindre la salle de traite le matin. Les poules se moquaient, le coq le poursuivait. Louis, craintif, évitait ses coups de bec, sautillant au milieu de la cour. Émilienne lui ayant interdit d'être violent avec les animaux, il fuyait ou tentait d'apprivoiser les récalcitrants. Louis passait pour un idiot. Six mois lui furent nécessaires pour mener les vaches sans qu'elles ne se dérobent, pour que le coq finisse par détaler sur son passage, pour que ses muscles se développent. Il avait seize ans.

En quelques mois, Émilienne bâtit un homme utile : elle lui apprit à clôturer les champs, reconnaître et couper le frêne, le sapin, le châtaignier, il mémorisa les noms des plantes des prairies, les graminées et les sauvageonnes, il retint que les vaches apprécient luzerne et trèfle, que les petites bleues font gonfler la panse. Puis vint l'égorgement du cochon, le pyjama du lapin, la vidange des poulets. Il agrippait les pis des vaches selon le rythme imposé par Émilienne, « traire un animal revient à battre la mesure d'une chanson ». Il fit naître deux veaux. La première fois le vétérinaire lui avait montré où se placer, comment aider la mère ; la deuxième fois Émilienne le réveilla avant l'aube pour qu'il passe « sa dernière épreuve pratique ». Il s'en sortit bien, tout rouge de sueur et d'angoisse, raide devant le petit au mufle chaud que sa mère léchait, la langue sur les poils glués de sang.

La fosse à cochons était le seul endroit où il s'était tout de suite senti à l'aise. Dès son premier tour de piste, les bêtes, curieuses, l'avaient encerclé, leurs groins fouillant sans violence sa combinaison. Battant le sol de leurs pattes, ronflant avec nonchalance, elles s'en retournaient ensuite aux ordures que Louis versait en tas au coin de la fosse, à l'extrémité sud du Paradis.

Les premiers jours, après le repos forcé, Émilienne lui avait demandé de venir quand elle tuait une poule pour le déjeuner ou dépeçait un lapin. Louis suivait sagement, enregistrant chacun de ses gestes, le coup de bâton sur la tête de la volaille dont on tord ensuite le cou, le roulement des doigts pour retourner la peau du lapin accroché au mur de la maison tête en bas, les plumes retirées une à une, les boyaux dans la casserole pour les cochons. Il regardait Émilienne comme un chat suit un oiseau derrière une fenêtre fermée. Façonnée par les morts consécutives, elle levait sur lui les deux lueurs vertes de ses yeux, rayonnant de cette fermeté, de cette douceur dont il n'aurait su se défaire. Un jour enfin, elle le fixa longtemps, les mains grasses des boyaux de la poule décapitée sur un vieux journal dans la cuisine, puis dit, avec un vrai sourire, pas la moitié d'un sourire, pas un rictus, non, une large et profonde encoche :

— Tu fais partie de cette maison.

Construire

Louis nicha dans le lit de Marianne et Étienne jusqu'à ce que Blanche et Gabriel ne dorment plus ensemble. Le frère et la sœur occupaient la pièce en haut de l'escalier. Au onzième anniversaire de Blanche, Émilienne décida que l'enfant occuperait, seule, la couche de sa défunte mère. Louis fut envoyé dans la chambre de Gabriel, sur un matelas étroit à côté du lit du garçon.

Lorsqu'on empruntait le chemin de terre jusqu'au panneau de bois gravé d'un «Vous êtes arrivés au Paradis», la cour ouvrait sur les bâtiments agricoles, forteresse de planches suintant insectes, odeur de bouse, de paille et de poil. En son centre, l'arbre couvait, l'été, une petite table et des bancs d'enfants appuyés contre le tronc. À droite du chemin, la maison se dressait, en pierre presque brune, ses fenêtres donnaient sur les Bas-Champs. Au loin, le Sombre-Étang et ses occupants aux plumes foncées et, à l'horizon, un ciel pourpre et dégagé. Le poulailler s'étendait sur une pente abrupte qui descendait dans les bois où Émilienne ramassait des branches minces pour le feu. Une passerelle enjambait un ruisseau minuscule, ouvrant sur plusieurs hectares de prairies tenues au cordeau, plantées d'ivraies, de flouves, de vulpins. Une ceinture forestière, à l'est, fermait le paysage, ventre noir et feuillu d'où s'échappaient des grappes d'oiseaux aux ailes puissantes. Louis connaissait désormais le Paradis avec précision. La ferme avait appartenu naguère au mari d'Émilienne, un bougre de travail tué par une maladie des poumons. À sa mort, le domaine était passé à sa femme et sa fille, Marianne – qui avait quitté le Paradis à dix-huit ans, attirée par les sirènes de la ville.

Cinq ans après, Marianne était revenue, fiancée à un jeune étudiant en géographie rencontré dans un parc de l'université. Étienne était un garçon doux, pas très grand, plutôt maigre. La vue du moindre détail du paysage semblait suffire à son bonheur.

Au début, Émilienne s'était méfiée. Marianne avait l'air si fragile, si peu capable aux champs. Et son loulou alors, une asperge des faubourgs, au teint aussi pâle que ses yeux, les cheveux emmêlés qu'il ne peignait jamais, la voix plus douce que celle d'une femme. Étienne avait étudié, milité au sein des groupes de gauche à la faculté et enseigné quelques mois, avant d'admettre qu'il n'avait pas les épaules pour affronter ce qui se préparait dans «le grand monde». Il cherchait un lieu à sa mesure, où il ne se sentirait pas dépassé par autre chose que la fatigue du travail bien fait. Étienne ressemblait alors à ces jeunes citadins à la recherche d'un idéal sauvage, d'un retour à une terre qu'ils n'avaient connue qu'à travers les livres. Pour lui, le Paradis représentait l'île de Robinson Crusoé. Mais lorsqu'il s'était présenté, les yeux d'Émilienne l'avaient cloué. Ce gendre, elle n'en voulait pas chez elle, sauf s'il se mettait au travail.

Comme Louis, il dut tout apprendre. Et contrairement à Louis, il ne réussit pas à s'imposer les tâches difficiles, répétitives, nécessaires au quotidien de la ferme. Les seuls animaux qu'il avait côtoyés étaient les chats de ses parents, et lorsqu'il mettait un pied dans l'étable il se sentait inutile, tout à fait inutile, face à ces bêtes qui auraient pu l'écraser, le tuer, et qui se contentaient, du fond de leur box, du milieu de leur pré, de le regarder avec de grands yeux aux cils noirs, les oreilles en alerte, ruminant leur dédain.

Au bout de quelques mois, il proposa ses services à la mairie du village : il pouvait donner des cours particuliers, des heures d'étude, aider les élèves en difficulté. Tout sauf la ferme. On lui demanda, quinze heures par semaine, d'accompagner les enfants après la classe, de cinq heures à huit heures le soir. Il ferait office de professeur, de confident, de surveillant. On lui remit le trousseau de clés de la communale, qu'il déposait chaque soir dans la boîte aux lettres de la mairie, avant de rentrer au Paradis, parfois en voiture si une bonne âme s'arrêtait sur la route pour le prendre. Puis il offrit à sa belle-mère de vendre lui-même les œufs du poulailler, de les livrer, après son travail, à ceux qui habituellement se déplaçaient à la ferme. Émilienne lui permit alors, sans qu'il le demande, d'utiliser sa voiture. Étienne fut à la fois soulagé de ne plus avoir à marcher huit kilomètres par jour et étrangement fier d'être enfin, pour Émilienne, autre chose qu'un gentil garçon.

Marianne travaillait avec sa mère, l'allégeant des tâches qu'elle effectuait seule. Elles parlaient peu : Émilienne était une femme d'ici, qui ne meublait pas la conversation. Sa seule présence envahissait l'espace. Marianne était plus bavarde, plus enjouée. Elle croyait en l'avenir, au progrès, elle débordait d'idées pour la ferme, pour faire du Paradis un véritable paradis. Lorsqu'elle avait cloué cette planche à l'entrée du domaine, Émilienne avait ri, pensant *ça lui passera ces lubies, ces envies... ça lui passera*. Parfois, le jeune couple s'autorisait à quitter les lieux pour manger au restaurant, mais Émilienne, elle, restait avec ses bêtes. Elle faisait partie du troupeau, même si elle marchait à l'avant.

Blanche et Gabriel étaient nés à deux ans d'intervalle. La maison avait bien vite débordé de cris, de pleurs, de rires, de courses. Les petits, à quatre pattes, longeaient la rambarde que bordaient les trois chambres. Au fond du couloir de l'étage, une trappe conduisait aux combles, habités par les araignées, les vieux meubles et le fusil de chasse du défunt grand-père.

Étienne et Marianne formaient un drôle de couple. Elle était aussi vive qu'il était rêveur, il était aussi brillant qu'elle était impatiente. Étienne sut guider les élèves à travers les problèmes de mathématiques, les pièges de la grammaire et les images qui illustraient l'histoire de France. Tout ce qu'il échafaudait se retrouvait dans la tête de ceux à qui il transmettait son savoir, il bâtissait des empires intellectuels, des châteaux intérieurs. Étienne n'était pas « un homme à vaches », comme disait Émilienne, mais on lui faisait confiance, tant il semblait plongé dans un monde de dates et d'images, de chiffres et de noms propres.

Marianne tenait de sa mère un solide bon sens : rien ne lui résistait. Pas même ses deux enfants. Blanche, dès son plus jeune âge, s'était révélée très dégourdie. Elle avait plus vite appris à marcher qu'à parler, débordante de mouvements, une enfant plus âgée était cachée en elle et attendait le moment d'éclore. Déjà, à quatre pattes, elle labourait le sol jusqu'à s'écrouler devant l'escalier, épuisée, avant d'être ramassée par sa mère ou sa grand-mère. À trois ans, Blanche parlait peu, marchait vite ; habile de ses mains, elle reproduisait les gestes de sa grand-mère, avec qui elle passait le plus clair de son temps, cavalant parmi les poules, se glissant sous les pattes des vaches, excitant les cochons, juchée sur la clôture de la fosse, le nez écrasé par sa paume.

Gabriel, lui, rechignait à tout. À manger, à dormir, à marcher. Ce n'était pas un gosse agaçant, mais tout semblait l'atteindre plus vivement que sa sœur. Une mouche le réveillait. Lorsque Marianne l'emmenait dehors, la lumière du soleil l'éblouissait. Il hurlait. Dans les bras d'Émilienne, il s'endormait calé contre son aisselle. Elle le tenait sur une hanche, vaquant à ses occupations. Là, l'enfant se laissait faire, paisible. Il était né avant terme, plus frêle que sa sœur au même âge, plus bavard aussi, la moindre chose le faisait caqueter comme une poule. Et puis, il tombait régulièrement malade. De petites fièvres qui duraient une nuit, des boutons qui apparaissaient et disparaissaient, des quintes de toux, alors qu'il venait à peine d'entrer dans la vie, au creux d'une famille où être fort n'était pas une option mais une nécessité.

— Ça ne sera jamais simple, pour lui, murmurait Émilienne devant Marianne, quand il s'endormait contre elle.

Sa mère soupirait.

— Tu n'en sais rien, il est trop petit.

— Il ne faut pas laisser la mélancolie s'installer. C'est une mauvaise coucheuse.

Gabriel dormit dans la chambre de ses parents jusqu'à son premier anniversaire, avant de rejoindre sa sœur à l'autre bout du couloir, dans le deuxième lit, celui qu'elle avait occupé au même âge.

Surmonter

Peu à peu, Louis apprivoisa la famille Émard, ses absents, ses défunts, ses taiseux. Il ne demandait jamais à en savoir plus.

Parfois, à la fin du dîner ou au petit déjeuner, la grand-mère lâchait des phrases. Elle disait quelques mots à propos des morts. Étienne « avait toujours l'air de sortir du lit », Marianne « parlait peu mais qu'est-ce qu'elle était jolie ». Elle lui montrait des photos de sa fille avant qu'elle ne quitte le Paradis pour la ville. Louis pensait que Gabriel tenait de son père cet air constamment ailleurs, ce physique fragile, son aspect un peu sec, doux en toutes circonstances.

Mais Blanche, Blanche aurait pu être la fille d'Émilienne plus que sa petite-fille, tant elle avait fait siens les gestes, les postures, les expressions de sa grand-mère. Comprenant très tôt que ses parents seraient rapidement rayés du Paradis et qu'un autre modèle deviendrait fondamental à sa survie, Blanche s'était tournée vers Émilienne, elle avait ouvert grand son cœur pour apprendre d'elle tout ce que cette femme aussi respectée qu'un prêtre ou qu'une sorcière pouvait lui transmettre. Louis comprit cela avant que Blanche n'abandonne les rives de l'enfance. La nuit, elle dormait en chien de fusil devant la porte de sa grand-mère, et Gabriel se réveillait, seul dans sa chambre.

Parfois, en la voyant grandir, Louis se demandait si Blanche se rappelait qu'elle avait eu des parents, qu'ils étaient morts sur l'Épingle, par un soir de tempête. La voiture d'Émilienne s'était retournée à la sortie du virage, le choc les avait tués sur le coup. La carcasse avait été retrouvée dix mètres plus bas, sur le côté, et les corps de Marianne et Étienne, aussi sanglants que le jour de leur naissance, avaient été tirés de là sous une pluie cauchemardesque. Blanche savait tout cela. Très naturellement, la petite devint l'ombre de sa grand-mère, abandonnant son chagrin à la rigueur vigoureuse d'Émilienne. On aurait dit qu'elle seule pouvait l'extirper de cet enfer, de cette absence soudaine qu'elle avait sentie venir, comme un chien flaire l'orage des heures avant que la foudre ne tombe.

Gabriel, lui, comprit très tard, trop tard, que ses parents ne reviendraient pas. À trois ans, il contourna la mort en espérant qu'elle serait provisoire, demandant chaque jour ou presque à Émilienne, Blanche, Louis, à ceux qui passaient la porte, si «papa et maman étaient en retard», si «papa et maman seraient là demain». Blanche secouait la tête, évitait son regard interrogateur. Louis le prenait sur ses genoux, détournait son attention en lui montrant les images colorées dans les livres d'enfants qu'Étienne avait lui-même écrits et dessinés pour ses petits, et Émilienne répondait «non» à chacune de ses questions, chaque fois qu'il les posait, «non». Plus elle répondait, plus Gabriel haussait la voix, rechignant à l'échec, jusqu'à ce qu'un soir, devant la cheminée, il monte sur les genoux de sa grand-mère. Cette fois-ci, Gabriel hurla: «Papa est là? Maman est là?» Il criait, de grosses larmes roulaient sur ses joues. Émilienne le tint par les mains afin qu'il ne perde pas l'équilibre, et quand il commença à taper du pied sur ses jambes, elle l'attrapa par la taille et dit d'une voix que les reniflements de son petit-fils peinaient à couvrir:

— Ils ne sont plus là. Ils ne reviendront pas.

Gabriel ouvrit la bouche, Émilienne posa sa longue main sur ses lèvres. Louis, depuis la table où il épluchait une orange, regardait la scène. Jamais il n'avait vu le petit aussi excité, jamais il n'avait vu la vieille aussi en colère.

— Si tu veux crier, dehors.

Elle retira sa main et Gabriel hurla, plus fort

encore. Alors Émilienne sortit sur le perron et laissa l'enfant devant la porte qu'elle referma derrière elle. Louis entendait le garçon marteler contre le battant et hurler, hurler, hurler, il n'avait jamais connu cela ; même son père lors de ses crises – Dieu sait si elles duraient longtemps – ne criait pas aussi fort. Il lui semblait que les organes de l'enfant sortaient par sa bouche tant il dégueulait de colère. Louis n'aurait jamais pensé qu'un corps de quatre ans puisse à ce point trouer la nuit.

— Fais-le rentrer, Émilienne.

— Non. Il faut qu'il se vide, répondit-elle en s'asseyant devant la cheminée.

— Et s'il s'en va ? demanda-t-il, se levant pour aller ouvrir la porte.

Émilienne fit un geste dans sa direction, la main baissée.

— Il va rester là. C'est un enfant de quatre ans, pas un chien.

Elle laissait son regard errer sur les flammes dans l'âtre, sourde aux appels de son petit-fils.

— S'il te plaît, laisse-le rentrer, supplia Louis.

La danse du feu hypnotisait la grand-mère. Rien à faire. Louis se leva, déposa sa vaisselle sale dans l'évier, nettoya la nappe en ramenant dans sa paume les miettes, qu'il jeta sur les braises.

— Je vais me coucher.

— Bonne nuit, ne t'avise pas d'ouvrir cette porte.

Il quitta rapidement la pièce, la tête pleine des hurlements de Gabriel.

L'enfant finit par se calmer. Une fois le silence retrouvé, Émilienne attendit une demi-heure. Lorsqu'elle ouvrit la porte, Gabriel était assis sur une marche. Surprise, elle s'avança jusqu'à lui. Elle aurait imaginé qu'il se soit endormi d'épuisement, mais non, il était là, le dos bien droit. Sa grand-mère s'assit à ses côtés et lui passa la main dans les cheveux, une main large, énorme. Sa paume caressa le crâne de Gabriel, qui s'assoupit contre elle, presque instantanément. Avant de le porter dans sa chambre où, indifférente, Blanche ronflait, tournée contre le mur, Émilienne balaya la ferme du regard, la grange plongée dans le noir, l'arbre sanglotant sur la cour, courbé sur la mort de Marianne et Étienne quand la maison, elle, continuait de vivre. Un court instant, Émilienne vit sa fille couchée contre cet arbre ; de grosses larmes montèrent dans sa gorge, de grosses larmes qu'elle ravala avant qu'elles aient pu atteindre ces yeux jamais altérés par aucun sanglot. Puis, très doucement, pour ne pas réveiller Gabriel, elle se hissa sur ses jambes dégraissées à force de travaux, d'allées et venues, d'enfants et de cercueils qu'on porte, et s'engouffra dans la maison, laissant l'arbre pleurer à sa place pour retrouver le sommeil, bien vivant, de Blanche et

Louis. Ce sommeil-là, dans cette maison, au fond du Paradis, Émilienne en était fière. Plus fière que du domaine lui-même, car elle avait tiré ces petits des antres de chagrin où ils s'étaient enfoncés, Louis cogné par son père, Blanche et Gabriel cognés par la mort de leurs parents.

Grandir

Lorsque Louis réalisa que Blanche n'était plus une petite fille, il se ferma sur lui-même, plein d'une honte, d'une violence qui rappelait celle de son père. Non pas qu'il voulût lever la main sur Blanche : au contraire, cette main qui enfonçait des pieux de bois dans la terre mouillée du Paradis, menait les vaches aux prés, cette main il voulait qu'elle danse autour des cheveux de Blanche, qu'elle frôle sa nuque, qu'elle l'enveloppe comme quelques années plus tôt l'édredon avait adouci ses blessures. Quand il la vit se transformer sous ses yeux, Louis comprit pourquoi Émilienne avait laissé la petite prendre la grande chambre.

Depuis leur rencontre, Louis et Blanche s'étaient entendus tels deux chats occupant un même territoire, respectueux et distants. Émilienne n'avait jamais considéré le jeune homme comme son troisième petit-enfant, elle disait en avoir déjà assez de deux. Lorsqu'elle pensait au père de son commis, elle se demandait comment cet homme, qu'elle avait connu avant qu'il ne devienne cette foudre, en était arrivé à cogner tout ce qui lui passait sous la main. Louis ne parlait jamais de ses parents : la visite de sa mère avait laissé en lui un trou béant. Quant à son père, ils ne s'étaient pas revus depuis la fuite du garçon, en sang, jusqu'au Paradis. L'homme n'avait pas osé venir chez Émilienne : il pensait que la ferme était un endroit maléfique. Maudit par la mort qui avait frappé le mari d'Émilienne. Maudit par l'accident qui avait emporté Marianne et Étienne et laissé deux enfants, si jeunes, dans ces plaines dures, au milieu de ces forêts qui n'en finissaient pas de grignoter le paysage et les hommes qui l'habitaient. Le Paradis était un endroit maudit tenu par un ange au visage aussi creux qu'une gamelle, aux épaules un peu basses, à la poitrine trop large pour ce corps ramassé.

Émilienne ressemblait à ce que la terre avait fait d'elle : un arbre fort aux branches tordues. Ses mains, ses pieds, ses oreilles semblaient grandir en dehors de son buste, tandis que ses jambes, ses hanches et son ventre, noueux, presque inexistants, n'étaient que muscles et os. Émilienne était solide mais cassée, elle avait collecté les morceaux de sa propre vie, se levant chaque matin à l'aube, se couchant chaque soir après Gabriel, Blanche et Louis, consciente que l'un d'entre eux devrait, un jour, lui succéder. Tenir les bords du Paradis comme on retient une portée de chatons dans un torchon humide. Elle traversait l'existence, dévolue au domaine et aux âmes qui l'abritaient. Tout commençait par elle, tout finissait par elle.

Après la mort de son mari, on considéra, au village, qu'Émilienne avait souffert plus que quiconque, que cette souffrance l'avait étoffée. Après tout, les ordures nourrissent les porcs et les rendent plus forts. Les deuils répétés avaient fait d'elle une puissance humaine dont le pouvoir grandissait dans l'imagination de ceux qui la côtoyaient. Émilienne avait toujours été une vieille femme. Pas une vieille dame, une vieille femme. De celles qui continuent, sans relâche, à consolider leur petit empire, à la seule force de leur âme, qui est si grande, habitée de miracles et d'horreurs, si grande.

Louis l'avait respectée avant de l'aimer, dans cette espèce d'amour qui ne se dit ni ne se montre. Un amour de petit garçon.

Avec Blanche, les choses allaient autrement. Leur différence d'âge, les liens aussi étroits qu'étranges qui les unissaient faisaient d'eux des compagnons inattendus. Ils avançaient sur la même ligne. Les parents de Louis vivaient encore : la nuit, l'idée de s'approcher du chalet lui traversait l'esprit, mais dans ces moments il revoyait Blanche, à cinq ans, devant lui, plus curieuse que surprise, il revoyait cette enfant qui, elle, avait perdu sa mère et son père en même temps, agrippée au Paradis comme un écureuil affamé. Blanche avançait à ses côtés ou il avançait avec elle. Il avait beau être plus âgé, depuis près de huit ans qu'il partageait son quotidien, il se sentait encore, parfois, battu, désarticulé, écroulé sur le parquet sous le regard de cette petite que le drame, au lieu de la détruire, avait renforcée. Louis aurait adoré avoir Blanche pour sœur. Il l'aurait protégée, aimée, sans doute grondée aussi, mais leur lien aurait été clair. Il en aurait compris les limites, les rives à ne pas franchir, les rivières dans lesquelles les garçons n'ont pas le droit de se baigner. Au lieu de ça, il cheminait près d'elle, ne sachant quoi dire en sa présence ni quoi faire pour l'amuser ou attirer son attention.

L'été de ses treize ans, Blanche avait remonté la pente depuis le poulailler et rejoint sa grand-mère sous le saule. Le ruisseau regorgeait de petites grenouilles qu'elle attrapait, frappait d'un coup sec sur une pierre, pour les cuire le soir même devant le perron, sous l'œil d'Émilienne. Elle trouva la vieille à sa place habituelle. La chaleur du milieu d'après-midi pesait sur la ferme ; Blanche portait un short découpé dans un pantalon de son père, ses jambes maigres ressemblaient à deux cotons-tiges plantés dans la terre. Un débardeur gris clair, trop large, dont les bords retenus dans le short retombaient sur ses hanches inexistantes, accentuait la pâleur de sa peau. Lorsqu'elle vint près d'Émilienne, on aurait dit deux personnages d'un tableau d'une autre époque, figés dans la lumière aveuglante de l'été. Mêmes yeux verts, même peau très blanche, mêmes cheveux foncés. Louis fumait une cigarette devant la grange.

Blanche montra sa cuisse à Émilienne, qui se pencha sur le genou de sa petite-fille.

— C'est une tique.

Émilienne désigna Louis du doigt.

— Va me chercher du vinaigre. Et attention avec la cigarette, si ça prend feu – elle pointa la grange – tu seras le premier à brûler.

Louis s'exécuta. Il courut à la cuisine, éteignit sa cigarette en passant le mégot sous l'eau froide et ressortit en trombe, la bouteille dans une main, une pince dans l'autre.

— Tu as pensé à tout, dit Blanche en riant.

— C'est mon travail, non ? siffla Louis.

Émilienne versa quelques gouttes dans sa main, remonta le short de Blanche sur le haut de sa cuisse. L'odeur du vinaigre, dans la chaleur, frappa Louis. Le pied de Blanche, nu, posé sur les genoux d'Émilienne, semblait n'être constitué que d'os mal agencés. La cheville ressortait, tel un gond, l'épiderme si blême dévoilait le circuit des veines, et cette peau, jusqu'à la cuisse, était parcourue de taches plus foncées, pareilles à des raisins dans une pâte à gâteau.

Il n'avait jamais vu le corps de Blanche d'aussi près, dans cette position où la naissance des fesses, juste au-dessus de la main d'Émilienne, ressemblait à une petite colline. Louis songeait à la texture de sa peau sous ses mains d'homme, il imaginait ce que serait son geste s'il se trouvait à la place de la grand-mère, et tout à coup, une bouffée de jalousie, aussi surprenante que violente, le secoua. Il en voulut à Émilienne d'avoir ce corps entre ses doigts. La jeune fille regardait sa grand-mère extraire la bestiole de sa cuisse mais quelque chose, l'instinct sans doute, lui fit relever la tête, et lorsqu'elle aperçut Louis, à quelques mètres, les yeux rivés sur sa jambe, elle faillit retirer son pied des genoux d'Émilienne. Mais elle se retint, et défia du regard le commis qui, tremblant, déguerpit, s'enfonçant dans les arbres vers la fosse à cochons.

— Il ne faut pas lui en vouloir, murmura Émilienne en arrachant la tique d'un coup sec. Il ne te fera aucun mal.

— Et si c'est moi qui lui fais du mal ?

Émilienne lui tapota le pied.

— Ne joue pas avec lui. Et va ranger le vinaigre.

Blanche attrapa la bouteille, ses talons claquèrent

sur les marches. La maison était fraîche, un frisson la parcourut, et lorsqu'elle nettoya la pince dans l'évier elle laissa l'eau froide couler sur ses doigts, se demandant si c'était cela, la caresse d'un garçon, quelque chose de très rafraîchissant par un après-midi brûlant.

Tuer

Louis devint étrange.

Blanche fermait la porte de la salle de bains à clé, contournait la grange quand il y travaillait. Aux heures de repas, elle s'asseyait à ses côtés, jamais en face, elle occupait la place de Gabriel. En bout de table, Émilienne regardait Blanche grandir. Sa petite-fille comprenait enfin que Louis, à vingt-trois ans, n'était ni son frère, ni un simple employé. Peut-être le désir s'emparerait un jour de Blanche et la mènerait dans les bras de Louis. Émilienne y pensait, ces deux-là feraient un joli couple, mais la petite l'avait connu trop tôt, il n'était ni de sa famille, ni de ses amis. Pour la fille Émard, Louis n'avait aucun charme, aucun pouvoir érotique, il occupait la place d'un animal domestique, intelligent et docile. Elle l'aimait comme cela, pas autrement. Comprenant peu à peu l'effet que son jeune corps produisait sur lui, Blanche posait patiemment des pièges sur le chemin qui menait à elle. Louis ne tombait pas dedans, non qu'il fût trop honteux de sa réaction ; il était humilié, oui, humilié qu'elle ait compris si vite, peut-être même avant lui, et anticipé ses gestes et ses regards au point de se barricader, en un seul après-midi. Louis refusait de croire qu'il était devenu ce genre d'homme, trop investi sur le domaine, trop proche d'Émilienne pour briser son équilibre. Mais voilà : il l'avait regardée.

Blanche observait tout, préparant ses coups avant ceux de l'adversaire. Elle était en colère contre Louis ; à travers ses yeux elle avait pris conscience de sa propre transformation. Très tôt, sa grand-mère lui avait expliqué que le corps des femmes était « une ville » et celui des hommes « un village ». Les formes des femmes changeaient sans cesse, évoluaient, se répandaient à la vue des autres, la peau se gonflait en certains lieux et se creusait ailleurs, tandis que le corps des hommes, passé l'adolescence, gardait son aspect et sa taille initiale. L'âge et l'alcool pouvaient l'arrondir, mais il ne se métamorphosait pas. Blanche devait, selon sa grand-mère, se préparer à de grands change-ments. Sa petite ville deviendrait plus vaste, plus grosse, plus désirable. Louis n'avait rien d'un rapace survolant la charogne de l'enfance, mais Blanche, quand elle s'asseyait à ses côtés et qu'il baissait la tête sur son assiette, se retenait de le gifler, de lui hurler qu'elle n'y était pour rien si ses fesses étaient rondes. Elle tirait sur son t-shirt, aplatissait les bosses de ses seins, ramenant sur son front ses cheveux dont le soleil adoucissait la couleur. Elle tentait de se rendre invisible, et malgré sa colère, elle s'interdisait toute méchanceté envers Louis : quelques années plus tôt elle avait appris, de la pire des façons, que ses emportements pouvaient se retourner contre elle. Très tôt, à huit ans.

Ce jour-là, Blanche s'affairait à l'étage. Elle descendait lorsque son frère, d'ordinaire si calme, déboula de sa chambre, une feuille de papier à la main. Il voulut passer devant, entrava la cheville de sa sœur qui tomba et dévala les marches pliée en deux. Arrivée en bas, il lui fallut quelques secondes pour remettre chaque membre à sa place. Sa chute avait marqué ses coudes et ses genoux. Du haut de l'escalier, Gabriel avait regardé sa sœur dégringoler ; il se tenait là, la feuille de papier devant la bouche, les yeux ronds face au spectacle qu'il venait de provoquer involontairement, et lorsque Blanche eut recouvré ses esprits, elle lui ordonna de descendre.

Gabriel recula d'un pas. Raide, sa sœur, épaules arrondies et lèvres tremblantes, tendit la main en avant et répéta :

— Descends, maintenant.

Gabriel soupira et avança lentement. Les marches craquaient sous ses pas. À présent, la feuille de papier plaquée contre sa cuisse, il n'avait d'yeux que pour ceux de sa sœur. Elle ne bougeait pas. Un instant, il imagina qu'un énorme chien l'attendait, qu'il ne pourrait le contourner sans qu'il se jette sur lui.

— Je n'ai pas fait exprès, Blanche, je te jure.

Elle renifla. Gabriel crut qu'elle allait cracher par terre mais elle se contenta de respirer plus fort. Il n'allait pas assez vite et sa lenteur exacerbait la colère de Blanche, dont les joues, rosies par la peur et la brûlure du bois des marches, retenaient de plus en plus le sang.

Lorsqu'il mit le pied sur le paillasson, sa sœur attrapa son bras, au bout duquel le dessin pendait lamentablement, et dans un geste d'une violence formidable, elle le gifla de toutes ses forces, au coin de l'œil, le corps entier lancé dans cette claque. Au moment où elle dressait le dos de sa main pour le frapper de l'autre côté, Émilienne sortit de la salle à manger.

— Qu'est-ce qu'il se passe ici ?

Elle fixa les coudes ensanglantés de Blanche, son visage dévoré par la rage, et vit que ses doigts serraient le bras de Gabriel. Le petit sanglotait sans bruit pour ne pas exciter sa sœur dont la main libre, encore en suspens au-dessus de sa tête, lui paraissait démesurément longue et lourde.

— Lâche-le.

Émilienne posa son panier dans l'entrée.

Blanche libéra son frère, qui s'enfuit vers la cuisine.

— Viens dehors, grogna la vieille, attrapant Blanche à la nuque, comme pour un chien qui aurait chié dans l'entrée.

Elle la mena ainsi au perron et désigna le poulailler.

— Va chercher Louloute.

Elle relâcha Blanche, qui prit la main de sa grand-mère dans la sienne.

— Il m'a poussé dans l'escalier et j'étais en colère.

— Va chercher Louloute je te dis.

Les larmes montèrent. Elle connaissait sa grand-mère : la supplier ne ferait que retarder le moment où elle, Blanche, souffrirait plus qu'elle n'avait souffert en dévalant l'escalier.

Tête baissée, résignée, elle se dirigea vers l'appentis où une grosse poule brune picorait. La volaille, habituée aux caresses de la petite, se laissa prendre. Les deux enfants avaient chacun une poule préférée. Louloute, avec ses plumes qui sentaient la chiure et la boue, était celle de Blanche. Tandis que l'enfant retournait là où Émilienne l'attendait, elle chuchota à Louloute :

— Je suis désolée, Gabriel m'a poussée dans l'escalier, je suis désolée…

La poule tenta de se dégager mais Blanche la coinçait contre elle. Lorsqu'elle eut atteint le perron, elle supplia une dernière fois sa grand-mère du regard. Celle-ci l'ignora, attrapa l'animal par la tête et lui brisa le cou. La petite étouffa un cri. Quelque chose en elle mourut en même temps. Elle voulut se jeter par terre, pleurer sur ce tas de plumes cassé en deux, mais Émilienne l'attrapa avant qu'elle ait pu bouger, et elle planta ses yeux dans les siens en murmurant :

— Ne cogne plus jamais ton frère, tu m'entends, plus jamais.

Blanche haït aussitôt Émilienne.

— Ne fais jamais de mal à un plus petit que toi. Jamais. Ou tu souffriras par un plus fort.

Puis elle l'abandonna à sa poule morte.

Dans la salle à manger, Louis avait tout entendu. Ce jour-là, la cruauté d'Émilienne l'avait heurté. Au son des os brisés, il s'était, pendant quelques secondes, mis à la place de Blanche, essayant de la délester de sa douleur, de son chagrin, devant l'animal qu'on sacrifiait pour une leçon qu'il jugeait idiote et malvenue.

En traversant la pièce, Émilienne s'arrêta devant la cheminée :

— Va enterrer la poule avec Blanche.

Louis se leva, pesa chacun de ses mots, mesura chacun de ses gestes, puis lança :

— Ce n'était peut-être pas nécessaire.

Silence. Les yeux dans les flammes, Émilienne chahutait une bûche du bout du tison.

— Rien de bon n'arrive quand on cogne, dit-elle sans se retourner, tu es bien placé pour le savoir.

Puis, sans rien dire, d'un geste aussi brutal que rapide, elle le congédia.

Courbée sur le cadavre, la petite enfouissait ses mains dans les plumes, marmonnant des insultes. Louis ne savait pas à qui elle les adressait, à Émilienne, Gabriel, ses parents peut-être, il ne savait pas mais jamais il n'avait vu Blanche ainsi, livrée à son chagrin, tombée dans ce trou où l'enfance s'était effondrée.

— On va l'enterrer, murmura-t-il.

Blanche se releva brusquement, gênée par la présence de Louis. Lorsqu'elle tourna la tête vers la maison, elle aperçut Gabriel. Il n'osa pas faire un pas de plus et posa la feuille sur le paillasson. Louis alla ramasser le morceau de papier, humide de sanglots, et reconnut, tracés au crayon noir, l'arbre et la cour. Gabriel avait dessiné ce qu'il voyait depuis sa chambre, et juste sous le banc, que sa main d'enfant avait imaginé beaucoup plus large que le tronc contre lequel il s'appuyait, il avait écrit : « Pour Blanche ». Louis tendit le dessin à la petite fille, qui écarquilla les yeux sous le choc que son prénom, écrit d'une main encore novice, provoquait en elle. La poule morte entre les bras, elle tint la feuille du bout des doigts et marcha au-devant de Louis jusqu'à la passerelle sous le poulailler. Là, elle lui demanda de creuser une tombe pareille à celles qu'on fait pour les humains, et dans cette tanière grossière elle voulait déposer Louloute ainsi que le dessin de son frère. Louis dégagea une petite fosse ronde, un peu plus large que la poule, et s'agenouilla pour y placer lui-même le cadavre. Mais Blanche s'avança, s'abaissa comme on se courbe devant un ruisseau frais et installa Louloute dans sa dernière demeure. Entre ses plumes, qu'elle caressa pour les mettre en ordre, elle coinça le dessin de Gabriel.

— Il n'a pas fait exprès, chuchota Blanche en se tournant vers Louis.

Le jeune homme acquiesça. Il voulut aussi dire quelque chose à propos d'Émilienne, quelque chose de dur, de méchant, mais il se retint : les mots de la vieille résonnaient en lui.

Ils remontèrent au Paradis en silence, Louis marchait devant. À mi-chemin de la butte il tendit la main pour que Blanche se hisse plus rapidement, mais elle esquiva son geste et le devança, soudain enhardie. Alors Louis comprit qu'ici la mort était une affaire de famille que l'on réglait naturellement, ainsi que l'on plie un drap propre.

Naître

Alexandre vivait dans une petite maison sans âme, au milieu d'une rue déserte. Une route plus étroite qu'une rue, bordée d'habitations serrées les unes contre les autres. Son père travaillait à quarante kilomètres, au guichet de la gare. Sa mère, femme de ménage à la mairie, l'emmenait chaque matin au travail et le récupérait chaque soir, conduisant cent soixante kilomètres par jour, avant et après avoir récuré les bâtiments publics sous l'œil des habitués qui passaient devant son corps plié sur les escaliers trop larges et trop blancs du bureau du maire. Ils défilaient devant ce corps qu'on aurait dit en prière et leurs yeux qu'aucune honte ne détournait s'attardaient sur ce qui avait été, avant son mariage, des fesses superbes, solides, le genre de fesses qu'on ne voit pas dans les films mais dans la vraie vie.

Ses parents avaient toujours été fatigués : sa mère par les trajets et le ménage, son père par l'ennui, la frustration de ne rien offrir sinon cette maison-là. Leur unique surprise fut d'avoir mis au monde un fils aussi beau. De qui Alexandre tenait-il ses grands yeux et ses fossettes, ils ne le savaient pas. Plus on le lui disait, plus il prenait confiance en lui. Alexandre n'avait pas sombré dans la mélancolie qui avait frappé, très tôt, ses parents. Il avait grandi dans l'idée que rien ne pouvait être pire que ces silences infinis, que ces soirées où seul le ronflement des voitures devant le portail trouait la quiétude atroce de cet endroit. Sa chambre, au fond du couloir à côté des toilettes, donnait sur un pré à l'arrière qui n'appartenait même pas à ses parents. Une étendue où des vaches lacéraient l'herbe, balançant leurs queues devant ce garçon qui n'avait qu'une envie : passer sous leurs ventres lourds et rebondis, grimper sur leurs dos confor-tables, prendre de la hauteur.

Ce pré, il ne le traversait pas : la vie de cette famille s'arrêtait au mur de sa chambre. Alexandre avait grandi en pensant que ce qui l'attendait serait toujours mieux que cette maison et ces silences. Il avait grandi en pensant que peut-être, s'il tra-vaillait, s'il gagnait bien sa vie, il achèterait ce pré ; alors ses parents y installeraient des tables, des chaises, des animaux, des jeux, enfin son père décrocherait un sourire, sa mère soupirerait autre-ment que de résignation. Un optimisme forcené s'était très tôt emparé de lui. Enhardi par tant de compliments sur son physique, Alexandre se considérait comme le préféré de tous, certain que cette vie-là ne durerait pas plus longtemps que sa jeunesse. Il avait hâte qu'elle se termine, hâte de leur montrer, à toutes et à tous, de quoi il était capable.

La seule fois où il avait entendu une discussion à table, Alexandre avait cinq ans. Tout le village ne parlait que de cela : la voiture des parents de Blanche Émard s'était retournée dans le virage en épingle. Émilienne se retrouvait avec deux petits à élever, seule. Ce soir-là, les parents d'Alexandre avaient imaginé tous les scénarios possibles. Comment ferait la grand-mère pour tenir la ferme et les enfants, à son âge ? Est-ce qu'elle enverrait les petits chez de la famille lointaine ? Alexandre vit son père et sa mère, pour la première et dernière fois, secoués par des vagues de mots, de phrases. Le destin tragique de Marianne et Étienne avait réveillé en eux une passion aussi soudaine que fragile. Quelque chose était arrivé dans la vie de quelqu'un qu'ils connaissaient de loin, quelque chose de grave, d'insurmontable. Face au drame de la famille Émard ils se sentaient moins pauvres, moins crasses, moins derniers. Une grand-mère et ses deux petits-enfants se retrouvaient dans une situation pire que la leur et ils pouvaient, du haut de la minuscule marche qu'ils venaient de gravir, imaginer ce qui adviendrait, tels des maîtres d'école penchés sur des élèves incapables de résoudre une équation.

Ce fut leur seule occupation. Mais jamais ils ne proposèrent leur aide. On disait Gabriel triste, constamment dans la lune. On disait Blanche vive et insolente. On disait Émilienne dépassée par les événements. On racontait tout, le village entier fabulait autour de la vieille. Alexandre se demandait qui étaient les Émard, pour qu'ils aient fait naître tant d'ardeur dans cette petite maison d'ordinaire si calme. Il avait rencontré Blanche comme on croise une star de cinéma ou l'héroïne d'une chanson populaire : par la voix des autres. Et il l'avait aimée pour la vie qui avait, très ponctuellement, traversé les murs de son foyer.

Rapidement, Alexandre comprit que ses parents resteraient des gens dont on ne retient pas le nom, des gens qu'on appelle « ceux qui ont la petite maison, oui mais laquelle, la troisième avec le pré derrière, mais le pré n'est pas à eux, c'est tout de même dommage ». Une fois que Gabriel et Blanche eurent réintégré l'école, que Louis s'installa définitivement au Paradis, le silence revint à table. Les cent soixante kilomètres quotidiens en voiture redevinrent des moments ennuyeux de choses impossibles à dire, de mains crispées sur le volant, de regards jetés par la fenêtre sur les champs et les forêts plus denses que l'existence de ceux qui les contemplaient. Émilienne était plus solide qu'ils ne le seraient jamais.

La vie reprit son cours ; Alexandre se dépêcha de grandir, souriant sans raison à toutes et à tous, poli, drôle dans sa démarche un peu guindée. Hors de la maison, le garçon parlait beaucoup. Ses traits changeaient dès qu'il passait le jardin, effaçant le masque d'ennui et de résignation que ses parents collaient à son visage. La famille d'Alexandre vivait chichement sans être pauvre, ils s'exprimaient avec des mots simples sans être idiots, existaient sans vivre. L'unique fils de la maison grandissait avec deux cœurs : un pour ses parents, un pour le monde extérieur. L'enclos de ses géniteurs, aimants malgré tout, attentionnés même si très silencieux, l'enclos de ses parents restait ouvert ; aussi pouvait-il être l'enfant beau et agréable au village, l'enfant discret et rêveur à la maison.

Alexandre devint le garçon, puis l'adolescent idéal. Les mères rêvaient de l'avoir « en photo et en pension », les copains l'invitaient chez eux, fiers de son amitié. Les filles, dès l'école primaire, le regardaient avec une envie qu'elles ne se connaissaient pas. Il était si doux, si gentil, Alexandre ; pas fort, simplement gentil. Il ne cognait pas, ne jouait pas au plus grossier, ne se mettait jamais au centre du cercle que formaient les élèves en bagarre ; non, Alexandre restait en dehors de l'agitation, pensant à ce que ce serait quand il grandirait, au pré derrière la maison.

En classe, il travaillait bien sans être le meilleur, parce qu'il n'était pas aussi intelligent que les mères le disaient, elles confondaient politesse et finesse, gentillesse et bon sens. Alexandre travaillait dur mais ne finissait pas premier de sa classe, ni en primaire, ni au collège. Il se hissait à la neuvième place du classement, jamais plus haut. Qu'importe, il faisait partie du premier tiers des élèves. Ses parents étaient presque épatés que ce fils s'en sorte si bien, il ne leur avait pas traversé l'esprit que ce petit puisse être meilleur que d'autres, alors qu'eux avaient toujours été moins bons que tout le monde. Ils le laissaient tranquille. Sa mère lui préparait le petit déjeuner. Quand il se levait, sur la table un bol et une cuillère sur un torchon plié en quatre l'attendaient. Le soir, ils mangeaient ensemble, Alexandre annonçait qu'il avait eu une bonne note, le père disait « C'est bien », et quand il avouait une mauvaise note, la mère disait « Tu feras mieux la prochaine fois ». Alexandre aimait ses parents parce qu'ils ne faisaient pas peser sur ses épaules le poids d'une réussite qu'eux-mêmes n'avaient pas connue, ils lui accordaient une confiance flemmarde, pensant *il s'en sortira*, ils n'y étaient pour rien, les bons côtés de ce fils adorable ne venaient pas d'eux et ils les découvraient en même temps que les autres parents, s'étonnant qu'il s'agisse de leur propre enfant, si engoncés dans leur défaite qu'ils n'imaginaient pas avoir pu transmettre autre chose que de la mélancolie. Alors ils l'aimaient d'une manière un peu braque mais sincère. C'était leur garçon, il s'en sortirait, ils seraient fiers de lui, s'il désirait qu'ils soient fiers de lui. Peu importait si Alexandre n'était pas premier de la classe parce qu'il n'était pas assez bon. Il lui manquait quelque chose, un peu de ce génie des enfants qui ont déjà tout connu. Il roulait derrière les meilleurs, et dans le trio de tête, une fille, une seule : Blanche Émard.

Observer

Tout le monde connaissait son histoire.

Elle était revenue en classe quelques jours seulement après l'accident de voiture de ses parents, fusillant du regard ceux qui la fixaient, les garçons surtout. Elle attendait qu'ils baissent les yeux et ils les baissaient. «Celle-là surmontera tout», c'est ce que disait l'instituteur devant l'école aux mères de famille qui s'inquiétaient pour Blanche et Gabriel. Émilienne soignait les blessures des enfants à la manière d'un chirurgien manquant de tout, elle faisait avec ce qu'elle avait, c'est-à-dire elle-même, ses vaches, ses poules et ses cochons, ses champs, sa cheminée, ses étangs. Sa troupe se rassemblait chaque soir et se disloquait chaque matin, sûre de son chef d'orchestre. Le corps d'Émilienne était celui d'une ogresse affamée, d'une rudesse et d'une solidité à toute épreuve, capable de douceur comme de violence, capable de caresses comme de gifles, et tous autour d'elle s'appuyaient sur ce corps pour rester debout.

Blanche, très vite, se tint droite. Elle n'avait pas besoin de beaucoup travailler pour être parmi les meilleurs. D'ailleurs, elle besognait déjà après l'école, à la ferme, avec Émilienne et Louis. Blanche avait hérité du bon sens de sa grand-mère : apprendre vite ou mourir. Apprendre vite ou rester à l'arrière du troupeau, et rester à l'arrière du troupeau, pour une fille sans parents que n'attendaient qu'une ferme et un commis amoureux, c'était perdu d'avance. Blanche n'était pas gentille, courtoise, ni polie, mais incroyablement fine, rapide, d'une grande vivacité d'esprit et de parole. Comme deux chevaux de labour, Blanche et sa grand-mère tiraient Gabriel, un garçon naïf, cassé par la mort de ses parents, à travers les plaines de son chagrin.

Toute petite déjà, elle quittait la cour dès que la cloche sonnait. Émilienne ou Louis attendait devant la grille puis ils partaient, en silence, sur la route du Paradis. Blanche portait toujours des jeans, des pulls et des t-shirts un peu larges mais propres, son corps ressemblait à un jeune tronc d'arbre blanc. La couleur de ses vêtements, bleue, noire ou grise, accentuait celle de ses yeux, immenses pour un visage comme le sien, un visage de petite fille qu'elle garderait jusqu'à la fin, avec une bouche encadrée de parenthèses curieuses.

On aurait dit que la vieillesse s'était installée, dès l'enfance, sur cette figure. Depuis la mort de ses parents, elle restait aux yeux des autres une enfant seule que l'absence avait frappée au moment des naïvetés normales et nécessaires. Ce chaos avait fait de Blanche une guerrière de cinq ans.

Lorsque Alexandre et Blanche se retrouvèrent côte à côte en cours de mathématiques, ils firent rapidement affaire ensemble : elle l'aiderait pour les équations, il amadouerait les parents de ses amis pour qu'ils achètent leurs œufs et leurs volailles à Émilienne plutôt qu'à l'épicerie.

— Je leur dirai que les poules de ta ferme ne sont peut-être pas les plus grosses, mais les meilleures de la région.

— Tes parents ont déjà acheté des poules chez nous ?

— Non. Il faut forcer un peu la vérité.

Ça avait marché. Alexandre se hissa à la cinquième place en mathématiques. Le jeudi et le samedi, Émilienne vendit plus d'œufs, plus de salades, et reçut quelques commandes pour la semaine suivante. Tout avait commencé de cette façon, pour une histoire de place dans le classement et d'œufs. Armé de son sourire charmant, Alexandre vantait les mérites d'Émilienne, parfois il disait « le drame vécu par cette famille ne l'a rendue que plus besogneuse ». De son côté, Blanche avait pris le temps de lui expliquer les racines carrées, comment déduire x et quelle parenthèse de calcul prendre d'abord en compte pour réduire une équation. Il n'était évidemment pas aussi bon qu'elle, et elle n'était pas aussi bonne commerçante que lui. Néanmoins, Blanche refusait de lui donner les réponses pendant les contrôles ; alors il joignait ses mains en une prière et la regardait, implorant. L'heure d'après, il la suivait dans le couloir, marmonnant :

— Franchement, tu pourrais me donner les réponses, qu'est-ce que tu gagnes à me faire perdre des points ?

Elle ne se retournait pas.

— Une réponse, ça se trouve, ça ne se demande pas. Soit tu es intelligent, soit tu es idiot. Si je te donne la réponse, tu es idiot.

Il se taisait, tête basse, essayant de calculer combien de points il était certain d'engranger. Évidemment, Blanche s'en sortirait avec un 16 ou un 17. Elle comprenait tout, avait réponse à tout. Ils cheminaient ensemble jusqu'à la salle de cours, où Blanche s'asseyait au deuxième rang et lui au premier, écoutant les commentaires du professeur sur telle ou telle œuvre. Alexandre prenait des notes, mais ne lisait pas les livres. Blanche écoutait, et relisait plusieurs fois chaque texte.

Un soir, Louis attendait devant la grille, la vitre

de la voiture ouverte. Il vit les deux adolescents quitter la cour et Alexandre se diriger vers le terrain de sport. Ce jeune homme de seize ans, il connaissait ses parents, un couple très discret et très triste. Il l'avait vu au marché, vanter les mérites de ce que Louis vendait les mains dans les poches, souriant difficilement, alors que ce gosse ouvrait grands les bras et invitait les mères de ses amis à acheter les œufs, les salades, les poules d'Émilienne. Gêné, Louis encaissait, abasourdi par le talent du garçon, ne comprenant pas pourquoi cet inconnu qui n'avait pas mis un pied au Paradis se pliait en quatre pour la ferme.

Lorsqu'il les vit ce soir-là, quelques secondes tout au plus, côte à côte, traversant cette cour de récréation d'un pas sûr, presque conquérant, il comprit que Blanche ne serait jamais à lui, qu'il n'avait même pas le droit d'y penser. Il se redressa sur le volant, souffla bruyamment et tenta d'effacer de sa mémoire le souvenir des cuisses pâles. Alors une image atroce lui traversa l'esprit avec autant d'assurance qu'Alexandre traversait la cour, l'image de Blanche prise par Alexandre, dehors, dans l'herbe du Paradis. Fou de douleur, il se plia sur lui-même, les entrailles tordues à l'idée des amoureux et du contour de leurs corps.

— Tu es malade ?

Blanche avait passé la tête par la vitre. Louis leva sur elle des yeux de colère.

— Barbouillé, grommela-t-il.

Elle monta sans rien dire. Il démarra en trombe.

— Tu diras merci à ton ami pour son spectacle au marché, siffla Louis.

Un demi-sourire se dessina entre les pommettes de Blanche. Une seule parenthèse. Celle que Louis préférait.

— Ça fonctionne, non ?

— On n'a pas besoin de ça.

— Arrête un peu.

Louis freina d'un coup sec. En plein milieu de la route. Une main sur le haut du volant, l'autre repliée en un poing que Blanche regardait, les yeux écarquillés. Un poing qui ne la menaçait pas, un poing qui aurait voulu cogner quelqu'un.

— Il ne fait pas ça pour nous, grinça-t-il, il fait ça pour toi.

Blanche rougit mais ne détourna pas le regard. Elle voulut rire, mais avant que sa deuxième parenthèse ne s'ouvre Louis redémarra, plus doucement cette fois, et conclut :

— C'est un garçon de seize ans, fais attention. Émilienne te dira la même chose.

Blanche s'enfonça dans son siège. La ceinture de sécurité pendait sur son épaule, son sac était entre ses jambes. Elle faillit répondre : « Tu voudrais bien être à sa place. »

Risquer

Alexandre avait débarqué en début d'après-midi. Blanche lisait dans sa chambre. Assis a la table de la salle à manger, Louis parcourait le journal. Émilienne vidait un poulet dans l'évier, avec des bruits de succion mouillés, d'entrailles qu'on étire jusqu'à ce qu'elles se détachent.

Trois coups à la porte.

— Va ouvrir, Louis.

Alexandre se tenait là, devant lui, son sourire habituel vissé aux fossettes, quoique un peu raide.

— Pardon de vous déranger, je me demandais si Bl…

— Si Blanche est là, oui, où veux-tu qu'elle soit ? cracha Louis en pivotant sur lui-même.

Alexandre dodelina de la tête, sans avancer. Il attendait la permission de Louis qui lui-même attendait que le gamin dise quelque chose, mais dans son dos, un bruit de cavalcade le fit soupirer. De sa chambre, Blanche avait entendu la voix d'Alexandre et, avant qu'il ait pu dire un mot, Louis fut poussé par la jeune fille qui se figea sur le perron, amusée et surprise.

— Qu'est-ce que tu fais là ? dit-elle.

Louis avait refermé la porte derrière eux sans la pousser complètement. Il écoutait.

— Qu'est-ce que tu fabriques, Louis ? siffla Émilienne, un torchon dans la main.

Il lui fit signe de se taire. Elle haussa les épaules, approchant de la porte et se penchant, pour entendre les adolescents.

— Est-ce que tu veux sortir avec moi ?

Louis et Émilienne échangèrent un regard. Dehors, Blanche, plantée sur ses marches, regardait Alexandre comme si elle le rencontrait pour la première fois. Il avait parlé sans la quitter des yeux, ses fossettes faisaient deux trous dans ses joues, ses lèvres remontaient en un sourire charmeur. Alexandre ne fit pas un pas vers elle. Il avait posé sa question en élève qui demande une explication à son professeur, et il attendait que ce professeur, si beau dans son hésitation, lui réponde.

— D'accord.

Louis quitta précipitamment le vestibule et claqua la porte de la cuisine. Émilienne, seule devant la poignée qui pendait dans le vide, prit une grande inspiration, les yeux fermés. Elle secoua la tête de droite à gauche, chassant une mauvaise pensée de son esprit. Au moment où elle allait franchir le seuil et exiger d'Alexandre qu'il quitte le Paradis, elle entendit sa petite-fille répliquer :

— Mais tu ne me touches pas tant que je ne l'ai pas décidé.

Lorsqu'elle ouvrit la porte en grand, Alexandre quittait la cour. Blanche le regardait s'éloigner. Émilienne faillit lui demander de rentrer, la nuit tomberait bientôt, mais elle aperçut le pied gauche de Blanche, sur la deuxième marche, en avant. Quand elle se tourna vers elle, Émilienne remarqua que sa bouche était d'une teinte plus foncée que d'ordinaire, et qu'un joli cercle rouge marquait le haut de ses pommettes.

Ils s'étaient embrassés. Les yeux verts de sa petite-fille ressemblaient à deux étoiles qui venaient d'exploser dans le noir ; Émilienne n'eut pas la force, dans ce premier baiser, de lui dire « fais attention ». Alors elle lui accorda un demi-sourire, qui signifiait « nous en parlerons plus tard », et, au lieu de revenir à l'intérieur, où Louis marmonnait sur son journal, au lieu de plonger ses grandes mains dans l'eau tiède de l'évier, elle traversa la cour et descendit jusqu'à la fosse à cochons.

Un beau garçon, beau de sourire, de voix, d'ambition. En descendant jusqu'à la fosse, Émilienne pensa qu'elle ne pouvait pas en vouloir à Louis d'aimer Blanche, et qu'elle ne pouvait pas en vouloir à Blanche d'aimer Alexandre. Il arrive, parfois, que les choses aillent à leur propre vitesse, sans se soucier de ceux qui sont blessés, ou de celles qui le seront bientôt.

Ils se caressèrent, enfin, plusieurs mois après la venue d'Alexandre au Paradis. Elle refusait qu'il lui donne la main dans la cour, dans la rue, sur les chemins écartés de la grande route. Elle le repoussait gentiment, répétant chaque fois « qu'elle ne se sentait pas d'être touchée comme ça ». Alexandre acquiesçait. Sa main inutile brinquebalait contre lui, dans l'attente du signal qu'elle donnerait, il ne savait pas quand. Blanche et lui travaillaient, déjeunaient, marchaient ensemble, on aurait dit un vieux couple de jeunes gens, si beaux – c'est ce que pensaient les professeurs et les autres élèves, si beaux – mais jamais liés l'un à l'autre autrement que par des mots. Blanche accordait un baiser de bonjour, un baiser d'au revoir, des baisers secs, rapides, des baisers de joue plus que des baisers de lèvres.

Un jeudi du mois de mars. Un beau soleil de fin d'hiver brillait. Nappée d'une couche de lumière blanche, la façade du lycée éblouissait les élèves, qui baissaient la tête avant de rentrer dans le hall. Blanche, elle, attendait devant, postée contre le mur, qu'Alexandre termine son cours de sport.

Il déboucha sur sa gauche plus vite que d'habitude. Essoufflé, il ne prit pas la peine de l'embrasser et sortit de son vieux sac à dos son dernier relevé de notes :

— Tu es mon meilleur professeur, déclara-t-il en agitant le bulletin sous le nez de Blanche.

Alexandre avait gagné deux places. Il appartenait maintenant au trio de tête.

— Ma meilleure professeure, et sans doute la plus belle, ajouta-t-il dans un clin d'œil.

Blanche saisit la feuille. Au lieu de se tourner dans l'ombre du mur pour lire les commentaires inscrits devant chaque colonne d'examen, elle s'approcha vivement d'Alexandre. Ses bras menus firent le tour de son cou. Blanche l'embrassa, pour de vrai cette fois. Longtemps, ses lèvres fouillèrent les siennes, un baiser mouillé accompagné des mains d'Alexandre sur sa taille, des doigts qui agrippaient la peau sous ses vêtements, par peur qu'elle ne tombe en miettes, dans un rêve, mais non, Blanche était bel et bien dans ses bras, dans sa bouche. Le relevé de notes était toujours dans sa main droite, Alexandre le sentait frôler le bas de sa nuque tandis que Blanche cherchait sa langue qu'elle amadouait tendrement. Elle saisit la main d'Alexandre et ils partirent ensemble sur la grande route, direction le Paradis, où le jeune homme découvrirait bientôt la chambre du haut, devant le grand arbre, à l'abri du regard de Louis, à l'abri de sa propre chambre, chez ses parents, où il aurait eu honte d'emmener une fille ou même un ami. Sa propre chambre qu'il désirait quitter plus que tout.

Fuir

«Baiser». C'est un mot qu'ils n'employaient jamais. Bien sûr ils l'entendaient, partout, souvent, à la télévision, à la radio, dans les livres, les magazines, les conversations au bistrot, les conversations au marché, les conversations tard la nuit, dans le fond de la classe, dans la cour, en salle de permanence, ils l'entendaient mais ils ne le disaient pas. Quand Alexandre était seul, il passait des heures à imaginer Blanche, habillée, peu habillée, avec un seul vêtement sur elle, ou simplement ses sandales d'été, il l'imaginait prendre du plaisir grâce à lui même s'il ne se voyait pas dans le tableau qu'il dessinait à mesure que le désir paralysait chacun de ses muscles. Il voyait Blanche, parfois de dos, ses fesses offertes, parfois sous lui, avec des yeux fermés qu'il lui demandait de garder ouverts pour y lire le plaisir, d'autres fois dans des positions étranges, de côté, un peu tordue sur elle-même, de façon à ce que la courbe de ses seins paraisse plus ronde ou le trajet de sa nuque à l'épaule plus étroit. Alexandre passait le plus clair de son temps à imaginer Blanche. Et quand il jouissait de trop d'images, dans ses draps, dans sa main, dans l'eau du bac de douche, dans la cuvette des toilettes ou même une fois sur le bord d'un chemin où il s'était étendu dans les blés hauts, il ne pensait pas à « baiser » Blanche. L'avoir, la prendre, la remplir, la tenir, peut-être oui, il s'était déjà dit ces mots, mais la « baiser », non. Ceux qui utilisaient ce terme étaient des garçons qui n'avaient jamais baisé quoi que ce soit d'autre que leur main droite, ou des hommes trop sales, trop avinés, trop seuls, qui ne se souvenaient plus de ce qu'avait provoqué, pendant ce bref moment d'existence où les femmes posaient des yeux avides sur eux, la naissance du plaisir, et son accomplissement. Alexandre savait que dire « baiser » était la preuve qu'on ne baisait pas, et que ça rendait la tête malade. Blanche ne le rendrait pas malade, il ne parlerait ni ne penserait jamais à elle comme une fille plus baisable que les autres.

Blanche mit du temps à se laisser approcher, mais lorsqu'elle accepta les mains d'Alexandre sur elle, son appréhension s'évanouit, comme la brume se dissipe et laisse soudain un ciel clair à ceux qui marchent dessous. Ainsi, tous deux, ils avançaient dans cette vie jusqu'ici percée de mauvais trous, d'accidents et de maison basse, de manque d'argent et de manque tout court. Si Louis travaillait dehors, Alexandre, lorsqu'il venait rendre visite à Blanche, prenait soin de ne pas affoler les poules, de ne rien déplacer dans la maison, ne provoquant aucun changement. Il effleurait la ferme et il effleurait Blanche, avec délicatesse, ne laissant pas trace de son passage, se sachant nouveau et probablement malvenu dans l'équilibre qu'Émilienne avait péniblement, laborieusement installé, conscient d'être un danger pour cet équilibre. Il évitait de s'attarder, apportait des bonbons, du pain, du sirop, du beurre. Quand elle le voyait depuis la cuisine traverser la cour, Émilienne ne disait rien. Il avançait avec précaution.

Alexandre évitait Louis, Louis évitait Alexandre. Au Paradis, devant le lycée, au marché, au bistrot, ils se parlaient peu, presque pas, pour dire bonjour ils se contentaient d'un geste de la main. Blanche allait de l'un à l'autre, telle une barque entre deux rives, considérant Louis comme elle l'avait toujours considéré, morceau d'une famille qui n'était pas celle du sang mais celle d'un drame. Elle le respectait mais évitait tout ce qui aurait pu laisser croire qu'elle l'aimait plus que cela, plus que le rescapé d'une tragédie qui durait encore, dans ce chalet minable. L'arrivée d'Alexandre le rapprocha encore plus d'Émilienne. La vieille savait ce qu'il endurait en présence du jeune homme et, dans ce silence de campagne, elle lui ordonnait de prendre modèle, de continuer, de ne pas se laisser happer par les trous de l'existence qui s'ouvraient devant lui. Elle lui enseignait qu'apprendre à vivre consistait à contourner ces trous.

Le jour du cochon, lorsque Blanche et Alexandre quittèrent la chambre, Louis, les mains dans le sang, s'acharnait sur la bête comme il se serait acharné sur son père ou sur le corps d'une fille qu'il n'aimait pas. L'odeur du sang lui donnait des forces, il s'en emplissait pour éviter de penser à ce qu'ils avaient fait, plus haut, dans cette chambre où lui-même avait été soigné et aimé pour la première fois. Il contournait le gouffre que son désir, sa colère et sa jalousie ouvraient sous ses pieds. Autour de lui, les hommes disaient «voilà un brave gars» et lui proposaient de venir travailler pour eux, à l'occasion. Louis répondait qu'ici il «ne travaillait pas», que c'était «sa vie, voilà tout», et en le disant il se rendait compte qu'il n'aurait pas su élever, nourrir ou tuer les animaux de quelqu'un d'autre. Les mains gluantes de sang, Louis se sentait le gardien du Paradis. Nécessaire et besogneux.

Émilienne vieillissait. Ce n'est pas qu'elle se plaignait, qu'elle marchait plus lentement, qu'elle rechignait à la tâche ; non, simplement, Louis remarquait qu'elle soufflait lorsqu'elle remontait de la fosse, où elle se rendait d'ailleurs moins souvent. Il lui arrivait de s'asseoir de côté, de répéter plusieurs fois les choses. Louis l'entendait se dire des secrets, se parler des craintes de l'avenir, du prix des œufs, de la viande, du poids des vaches, du nombre de veaux. Il l'entendait et cela le blessait ; il avait la sensation qu'il n'était pas un confident à la hauteur des attentes – et des angoisses – d'Émilienne, qu'elle préférait se confier à elle-même, à sa part la plus jeune, la plus forte, que de s'asseoir devant Louis et de lui demander d'agripper les rênes de sa vieillesse, de pousser sur ses bras de paysan pour garder la ferme bien droite, le temps que Blanche passe son bac et apprenne, auprès d'elle, comment tenir le Paradis. Louis savait qu'ils partageaient avec l'aînée de la famille Émard un attachement charnel à la terre du Paradis, bien que maréca-geuse, vorace, indomptable. Blanche ne partirait pas. Malgré ses excellents résultats scolaires et les encouragements de ses professeurs à poursuivre – elle détestait ce terme, « poursuivre », ainsi qu'un chasseur traque une bête on la poussait à traquer le monde – Blanche ne laisserait ni sa grand-mère, ni son frère au Paradis.

Se tordre

Gabriel était tout entier dévoré par la mélancolie des enfants fracassés. Émilienne avait été dure. Juste, mais dure avec lui. Elle l'avait laissé dehors pour qu'il se vide de ses larmes, de sa colère, de ses coups, oubliant que larmes, colères et coups sont des fleurs qui poussent en toute saison, même dans des yeux secs, même dans des corps aimés, même dans des cœurs réparés.

Gabriel grandit tordu. Gentil, mais d'une gentillesse obligée, une gentillesse de celui qui ne sait rien faire que penser à ceux qui devraient être là mais ne sont pas là, une gentillesse qui signifie «ne me faites pas de mal, je suis déjà griffé». Émilienne, Blanche et Louis travaillaient, sans relâche, bêtes aux côtés des bêtes, machines aux côtés des machines, anges laborieux au Paradis de boue, de becs et de fumier. Gabriel était maigre, affreusement maigre. Émilienne le nourrissait deux fois plus que sa sœur mais son corps refusait de s'épaissir, ses bras ressemblaient à deux allumettes flanquées d'un caillou rond au milieu en guise de coude. Ses jambes, démesurément longues, lui faisaient des échasses d'os et de chair. De loin, en t-shirt, on aurait dit un épouvantail piqué sur deux pieux, avançant dans les herbes hautes, les bras tenus en avant dans une étreinte qu'aucun parent de sang ne pouvait lui donner. L'avenir ne l'intéressait pas, il préférait prendre de temps à autre une gifle d'Émilienne, un coup de Louis, plutôt que d'avancer, poulain malingre, sur le chemin tracé par les malheurs de la famille Émard.

Pas d'ami à l'école. Pas de talent autre que celui de se tenir à l'écart, dans un calme effrayant, un calme d'enterrement, d'enfant qui se tient droit, les yeux en bas ou en haut, ne regardant rien que ce qui est sans borne, le plafond du ciel, le plancher de la terre, essayant de percer ces surfaces pour échapper à cet univers, son âge, sa famille, son école, ces autres, humains, animaux, routes et prairies, collines et ruisseaux. Tout était défini par des lignes, des frontières, des panneaux : le corps, la rive, le passage piéton, le trottoir, les barbelés, tout avait un sens, une forme, une fonction. Gabriel se tenait au milieu du monde, chose posée là par hasard.

Les petits trouvaient Gabriel bizarre, les grands le disaient rêveur. Son corps grandit plus vite que

lui. Il fallait le voir, enfant, puis garçon, chemi-
ner seul sur le bord de cette route maladroite-
ment tracée, cette bande de goudron affolée dont
les virages tantôt simples, tantôt dangereux, en
épingle ou en fer à cheval, menaient les voyageurs
aux confins d'un horizon barré d'arbres et d'habitations basses. Oui, il fallait le voir, aussi frêle dans
sa peau que gigantesque dans son chagrin, avancer sur le bas-côté. Gabriel avait tout d'un animal malade de tristesse et de timidité. Émilienne
et Blanche vivaient à ses côtés comme deux
chattes, vaquant à leurs travaux, lui jetant parfois
un regard interrogateur auquel il répondait en
haussant les épaules. Sa fatigue continuelle, son
absence absolue d'envie et d'amour pour cette
ferme où il avait connu les pires moments de sa
courte existence, tous ces éléments l'excluaient de
cette famille étrange, qu'il aimait certes, mais dont
les bras étaient trop chargés pour l'enlacer.

Louis était différent. D'une certaine manière, il
comprenait son chagrin d'orphelin. Chaque soir,
il s'asseyait au bord du lit de Gabriel, lâchait un
simple «Bonne nuit, mort aux mauvais rêves» et
chaque matin il s'asseyait au même endroit, à sept
heures exactement. Gabriel se réveillait, Louis
était déjà habillé. Il sentait le foin. L'enfant ouvrait
difficilement les yeux et le commis disait «Bonne
journée, mort aux mauvais moments», puis il quittait la chambre et le garçon ne le voyait plus avant

le déjeuner. Ces quelques paroles créaient entre eux un pont invisible où ils se retrouvaient parfois, tels deux amis doux et tristes.

À l'adolescence, doué de cette intuition que la mélancolie offre à ceux qu'elle ronge, Gabriel comprit, avant Blanche, et avant Louis, que ces deux-là ne pourraient jamais être frère et sœur, ni amis, ni compagnons. Rien de tout cela. Il savait, parce qu'il connaissait la rage de sa sœur et la souffrance de Louis, que rien, à part Émilienne et le Paradis, ne les tiendrait en un même lieu. Ils étaient si différents, si marqués par leurs horreurs respectives qu'ils s'étaient mutuellement convaincus que personne ne méritait leur confiance, leur amitié, ou leur amour. Gabriel voyait Louis tourner autour de Blanche, il voyait sa sœur fuir sa possible caresse, tous crocs dehors, confondant tendresse et morsure.

Jusqu'à ce qu'Alexandre vienne ce jour-là devant la porte, Gabriel avait toujours considéré sa sœur comme un automate déréglé. Puis il l'avait vue se rapprocher de ce beau garçon. Sentir Blanche atteinte dans sa brusquerie avait rendu son frère moins sombre : en découvrant qu'elle pouvait aimer autre chose qu'une ferme, il l'avait trouvée plus belle, plus proche de lui, et cette idée repoussait les cauchemars et l'enchantait. Mais à mesure que Blanche devenait plus humaine à ses yeux, Louis, terrassé par Alexandre, bataillait contre lui-même. Gabriel l'entendait la nuit en proie à de mauvais rêves, il le voyait le jour en proie à de mauvaises pensées. Plus Blanche aimait Alexandre, plus Louis se détestait, tandis que Gabriel, seul dans sa chambre, les observait, comédien refusant de jouer son rôle.

Rêver

Même après s'être déshabillée et offerte, après avoir soutenu et défié le regard des autres, surtout celui de Louis, Blanche fit comme si rien n'avait changé en elle. Pendant des semaines, elle se comporta avec rudesse, acceptant en silence les petites attentions d'Alexandre, le retrouvant au bord du Sombre-Étang où les grèbes plongeaient le bec dans l'eau, les pattes battant à la verticale de la surface trouble. Ils remplissaient la chambre de leurs odeurs, pour jouir, et ne plus avoir mal, mal du passé, de l'enfance qu'il faut quitter, de Louis, de tout. Émilienne acceptait les deux adolescents sous son toit tant qu'ils faisaient semblant de tromper sa vigilance : bien sûr elle les savait à l'étage, mais Alexandre était si discret et Blanche si vaillante à la tâche qu'elle acceptait leurs jeux amoureux, pendant que Louis suait au cul des vaches, ou des cochons, que Gabriel, dans sa chambre, pensait à des choses auxquelles elle ne préférait pas penser. Finalement, Blanche et Alexandre pouvaient bien s'entortiller pendant des heures, des jours au Paradis, ils amenaient dans les soupirs, la salive, les rires et le sperme, ils amenaient la vie, enfin, la vie, toute simple.

Peu à peu, Blanche s'abandonna.

Elle franchit le pas des confidences la première. Au moment où il s'y attendait le moins, pendant un cours de biologie. Ils disséquaient le cadavre d'une grenouille et Blanche, en retirant le cœur de l'animal, murmura :

— Je me demande si des médecins ont fait ça à mes parents.

Alexandre s'arrêta net.

— Quand on les a retrouvés, reprit-elle. Je me demande s'ils étaient ouverts, comme ça – elle désigna les cuisses de l'animal – ou si un docteur s'en est chargé, ou un flic.

Sa voix était aussi basse qu'assurée.

Alexandre ne sut quoi dire.

— Je ne sais pas, bredouilla-t-il, légèrement penché sur elle.

— Moi non plus je ne sais pas.

Puis elle se redressa, s'étira, bâilla ostensiblement sans qu'aucun son ne sorte de sa bouche et, avant que la sonnerie ne retentisse, elle conclut :

— Il y a beaucoup de choses que je ne sais pas, à propos d'eux.

Ils quittèrent ensemble la salle de classe, Alexandre derrière elle, légèrement en retrait, auscultant Blanche du regard. Autour d'eux, les élèves se lançaient des injures d'une naïveté atroce et touchante, des insultes de garçons et de filles qui sont effrayés à l'idée de devenir des hommes et des femmes ; Blanche et Alexandre ne leur prêtaient pas une oreille, ils se comportaient avec leurs camarades à la manière des surveillants agacés ou des professeurs indifférents. Ils ne faisaient plus partie de cet univers de cahiers de textes, de bulletins, de notes, parce que la famille – le peu qu'il en restait – les avait obligés à inventer un avenir avant les autres. La crainte avait lié ces deux enfants dans un lit : le refus des douleurs que le sang inflige, le refus absolu, insolent et terriblement vivant de se laisser emporter sans combattre, fût-ce contre soi-même.

Blanche marcha plus lentement. Elle ne prit pas la main d'Alexandre et il n'essaya pas d'attraper la sienne. Ils avancèrent, au rythme de la voix de Blanche, qui disait des choses sur ses parents, sur la vie avec eux, sur Émilienne aussi. Elle disait ces choses, Alexandre regardait ses pieds, écoutant avec une extrême concentration chacune de ses phrases pour les retenir en lui, incapable de prononcer un mot ; il lui semblait qu'un seul geste, qu'un seul souffle aurait brisé la confiance qu'elle lui offrait, la liberté qu'elle prenait, et la douleur, la grande douleur qui s'échappait d'elle par sa bouche, dans cet itinéraire habituel du lycée au Paradis. La douleur se déversait dans le prénom du père, Étienne, dans le prénom de la mère, Marianne, qu'elle ne nomma jamais ni papa ni maman.

— Ils sont morts à cause de la route, dit-elle en désignant le goudron.

— Qu'est-ce qu'il s'est passé ? demanda-t-il, alors qu'il connaissait déjà toute l'histoire.

— La pluie, et le virage, là-bas.

Son index désigna un point à l'horizon, au-delà du Paradis. Il tremblait légèrement, décrivant une courbe.

— Qui conduisait ? lança Alexandre.

Cette fois Blanche avança rapidement, pivota sur elle-même et se posta face à lui.

— Quelle importance ? siffla-t-elle.

Alexandre se sentit incroyablement bête. Alors il avança et enfouit ses lèvres dans son cou. Elle ne fit pas un geste, ni de pardon, ni de recul. Il posa ses mains sur sa taille, laissa sa tête sur son épaule et Blanche céda, plus vite qu'il n'aurait cru. Il sentit son corps aller contre le sien. Elle se dégagea de cette drôle d'étreinte au bout de quelques secondes, et tandis qu'ils arrivaient à l'entrée du chemin, elle souffla doucement :

— Ce devait être ma mère.

Le jour baissait; le vert des yeux de Blanche gagnait en profondeur. Avant qu'elle tourne devant la pancarte de Marianne, il dit:

— Tu sais, tout ça, ça s'arrêtera bientôt.

Et il afficha un grand sourire, conquérant, qui lui fit un visage superbe.

— Bientôt, oui. On pourra partir.

Elle leva la main.

— N'y pense même pas, dit-elle. Si je m'en vais, qui va garder les portes du Paradis?

Alexandre fit un pas en arrière.

— Tu n'as jamais rêvé d'autre chose? Loin?

Il tourna les talons, lui adressa un léger signe de la tête et lança un baiser rapide dans sa direction.

Percevoir

Dans la grange, les balles de foin cerclées de cordes vertes, empilées, semblaient légères, sur le point de s'effondrer à tout instant mais cela n'arrivait jamais. En vérité, les bottes pèsent : petite, Blanche s'amusait à pousser la première, celle du bas, les bras crispés dans l'effort. Tout son poids contre la balle immobile, la jambe gauche tendue sur la terre, la jambe droite fléchie, tête rentrée dans les épaules, Blanche rassemblait ses forces pour déplacer la balle. Elle suait, grognait, le mur végétal griffait ses poings et elle continuait, enfonçant ses doigts, des punaises couraient le long de ses bras, Blanche soufflait dessus, les cheveux en bataille au-dessus de son crâne minuscule. La tour de bottes de foin la surplombait. Blanche savait parfaitement qu'elle ne pouvait déplacer à la seule force de ses bras un mur de cette taille mais elle s'épuisait et cela l'apaisait.

Quelques jours après la séance de dissection des grenouilles, Blanche pénétra dans la grange. Elle balaya la cour du regard, craignant d'être vue, et s'agrippa aux cordes de la deuxième botte, empilée sur la première. Elle escalada sans difficulté les rouleaux qui laissaient sur ses vêtements des brins secs et tordus. Arrivée au sommet de la pile, elle se hissa et pivota pour s'asseoir lestement face au vide. Puis elle inspira profondément.

La fin d'année approchait. Après les cours, les professeurs convoquaient les bons élèves pour «parler de l'avenir» et la veille ç'avait été le tour d'Alexandre. Blanche l'avait vu attendre dans le couloir, excité comme un ver se tortillant sur un hameçon, piétinant devant la porte. Elle arrivait derrière lui quand, en face, la surveillante principale sortit d'une salle de permanence; Alexandre lui adressa un geste vif, si délié, si amical que Blanche se figea sur place. En retour, la jeune femme, ravie, à l'autre bout du couloir, sourit et tendit sa main vers lui, l'index et le majeur croisés au-dessus de sa tête – «bonne chance, Alexandre», disait ce geste simple – alors une vague de jalousie envahit Blanche, qui s'immobilisa dans le dos de son petit ami. Soudain, elle se sentit terriblement jeune et bête, Alexandre n'avait pas dix-huit ans que déjà les femmes le considéraient comme un adulte. Cette surveillante croyait en lui, elle soutenait ses espoirs, nourrissait ses ambitions. Blanche fut humiliée, jetée au bord d'un monde qu'elle avait toujours ignoré et qui, alors que l'âge adulte cognait à l'huis de l'adolescence, attirait soudain Alexandre. La porte devant lui s'ouvrit et l'adolescent entra, le pas fier. Blanche l'entendit parler quelques secondes avec son professeur. Elle voulut coller son oreille contre la serrure mais des élèves approchaient dans l'escalier et leurs voix la tirèrent en arrière, loin d'Alexandre que les femmes reluquaient.

Reine solitaire, du haut de sa tour de foin elle revivait cette scène, brûlant du regard plein de bienveillance de cette surveillante, du trépignement d'Alexandre, de sa façon de gigoter sur place. La nausée s'empara d'elle et Blanche bascula en arrière, s'allongeant sur le foin dur. Elle ressemblait à l'un de ces vêtements d'hiver, encombrant, agréable à porter, mais lourd. Elle avait toujours pensé qu'elle était le rêve d'Alexandre. Le reste semblait secondaire, ennuyeux. Jusqu'à ce jour, elle n'avait pas imaginé un autre avenir pour eux que le Paradis, la chambre, les vaches, le café sur la table. L'amour.

Elle déplia ses mains sur la surface du foin et s'y appuya plus fort pour sentir les brindilles balafrer sa peau. Un frisson parcourut son poignet puis son avant-bras. Une araignée, ronde et noire, avançait sur son coude, par à-coups. Ses pattes pédalaient, Blanche la trouvait presque jolie dans la pénombre. Du fond d'elle, un drôle de sentiment monta doucement. Elle se releva sans geste brusque pour ne pas effrayer l'araignée qui tournait sur son coude, mais elle fut prise de tremblement. Fiévreuse, elle s'imagina la broyer d'un seul coup, rien que pour son plaisir. Comme si la bête avait compris la menace, elle s'enfuit au bord de la balle, à toute allure, et Blanche soupira de soulagement. Son cœur battait au rythme des pattes de l'araignée, les images dans sa tête se succédaient, elle aurait pu la tuer, sentir sous la pulpe de ses doigts la chair, le sang se mélanger. Une seconde, le visage de la surveillante prit la place du corps rond et noir. La seconde suivante Émilienne l'appelait depuis le perron.

Savoir

— Qu'est-ce qui t'a pris ?

Côté passager, Gabriel baissait les yeux. Louis, les deux mains sur le volant, mordait sa lèvre inférieure. Il la mâchait, la peau sous ses dents devenait rouge vif, et Gabriel, immobile, savait qu'il retenait des flots d'injures.

— Franchement, Gabriel, venant de ta sœur, j'aurais compris, mais toi !

Une heure plus tôt, le lycée avait appelé au Paradis. Gabriel s'était jeté sur un camarade de classe. On n'avait jamais vu ce garçon timide dans une telle rage. Christophe, grand gaillard que Gabriel connaissait de vue puisqu'ils se croisaient chaque semaine au marché, s'était interposé.

Il les attendait devant la grille. Quand Louis descendit de voiture, Christophe lui serra chaleureusement la main, lui demanda « ce qu'il devenait ».

— Sois gentil avec lui, dit-il en suivant l'adolescent des yeux. C'est juste une petite bagarre.

— Il a été puni ?

— Un avertissement.

Tête baissée, le gamin ne bougeait pas.

— Je m'en occupe. Merci en tout cas.

— De rien. Gabriel n'est pas méchant.

La sonnerie retentit. Dans quelques minutes, Blanche et Alexandre sortiraient à leur tour.

Louis inspira un grand coup et s'assit. Il ferma la portière sèchement. Devant la voiture, des hordes d'adolescents défilaient, certains marchaient en tête, fiers, sûrs d'eux. Louis se dit qu'Alexandre faisait partie de cette catégorie de garçons qui n'avaient déjà plus peur de rien.

— Pourquoi tu ne démarres pas ?

Gabriel avait parlé sans lever la tête. D'une voix douce, traînante.

— Je ramène Blanche.

Louis demanda deux fois à Gabriel de s'expliquer au sujet de la bagarre et deux fois le garçon remua la tête, chassant les mots de son ami. Impossible d'en tirer quoi que ce soit. Lorsque Blanche passa la grille, Louis soupira. Le petit ami trottait derrière elle, et quand il fut à hauteur de Louis, côté passager, il lança d'un ton enjoué :

— Il l'a bien cherché, Gabriel, tu as eu raison.

L'adolescent jubilait. Un sourire vainqueur fendait son beau visage et Louis, dans le rétroviseur, chercha Blanche du regard. Elle se laissait conduire, les paupières closes, bercée par la voiture. Alexandre, lui, pressait les épaules de Gabriel en répétant « c'est bien, c'est bien » malgré l'air exaspéré de Louis. Quand ils arrivèrent devant le Paradis, le commis, sans la permission d'Émilienne ni celle de Blanche, proposa :

— Tu veux manger ici, ce soir ?

Alexandre se tut, coupé dans son élan.

— Tu es sûr, Louis ? demanda Blanche, un peu sonnée.

— Absolument sûr. Vous êtes ensemble depuis un moment maintenant, et ici – Louis jeta un œil sur Alexandre – on respecte ceux qui entrent dans la famille.

Alexandre éclata de rire.

— Avec plaisir !

Louis s'engagea sur le chemin que les mottes de terre et les cailloux transformaient en tape-cul. Les yeux du commis étincelaient. Il menait le troupeau ; son mouton de tête, Alexandre, suivait docilement. Une fois qu'il eut garé la voiture, il ordonna à Gabriel d'aller prévenir sa grand-mère. Puis il sortit à son tour avant de disparaître derrière la grange.

Alexandre glissa ses mains sur la taille de sa petite amie et murmura :

— On a le temps, non ?

— Oui, mais je n'ai pas envie, dit-elle en se dégageant de son étreinte.

Alexandre resta seul, sur le palier. Le refus de Blanche ne freinait en rien son enthousiasme. Ravi, il pivota et contempla le Paradis. Les couleurs de printemps éclaboussaient les champs, la forêt rugissait d'oiseaux. Alexandre balaya le paysage de la main. Au même instant, le frère de Blanche vint s'échouer sur une marche. Alexandre devinait sa respiration dans son dos, il savait que Gabriel voulait dire quelque chose – le remercier peut-être, de l'avoir soutenu, dans la voiture.

— Ça a déjà fait le tour du lycée ? finit-il par demander.

Les poules se rassemblaient autour de la grille.

— Tu ne fais jamais rien, alors quand tu fais quelque chose, on le sait vite.

Gabriel fixa le corps d'Alexandre, le corps d'homme d'Alexandre, pensant que son corps à lui ne serait jamais celui-là.

— Il a dit des trucs sur mes parents.

Alexandre se tourna brusquement vers lui.

— C'était pour te provoquer. Ne sois pas idiot.

Gabriel renifla. De grosses larmes, semblables à celles dont sa grand-mère l'avait vidé, cette nuit-là, sur ce même perron, montèrent en lui. Alexandre ne voulut ni le toucher, ni le regarder en face. Gabriel était trop fragile pour ce genre d'attentions. Avant de rejoindre Blanche à l'intérieur, il murmura :

— N'y pense plus.

Partir

Émilienne s'assit la dernière.

Les restes de la semaine : dans une grande casserole, pommes de terre, carottes, tomates, courgettes, bouillon de poulet. La carcasse jetée dehors, devant la grange, pour le chien. En bout de table, des tranches de pain épaisses, presque noires, trouées.

Le regard de Gabriel passait discrètement d'Émilienne à Alexandre. Lorsque, deux heures plus tôt, il avait prévenu sa grand-mère qu'ils auraient un invité, elle n'avait même pas demandé son nom.

À table, Louis jouait les pères de famille : Gabriel ronronnait à ses côtés, devant eux Blanche et Alexandre se tenaient droits, la jeune fille cachait difficilement sa fébrilité, ses jambes gigotaient sous le banc. Depuis le trajet en voiture, elle n'avait rien dit, elle retenait en elle une vague et Louis le sentait, ça roulait en dedans. Alexandre passait outre, il rayonnait, plus que d'ordinaire, ravi d'être là, quoiqu'un peu gêné par le silence d'Émilienne qui, du bout de la table d'où elle présidait cette drôle d'assemblée, distribuant plats et assiettes, surveillait les convives. Émilienne ne l'interrogeait pas, elle le laissait parler, souriant parfois lorsqu'il mentionnait ses professeurs. Le jeune homme prenait la place que Blanche lui avait réservée, celle que Louis n'occuperait jamais. Ce dernier lui proposa du vin, Alexandre refusa net.

— Ça joue les princes, se moqua Louis, et ça ne supporte pas l'alcool.

L'autre sourit.

— Je n'ai pas besoin de ça pour me donner du courage, répondit-il doucement, attrapant la carafe d'eau.

Louis grogna, vida son verre d'une traite mais, à la grande surprise de Blanche, ne le remplit pas de nouveau.

— Il s'est passé quelque chose aujourd'hui ? dit Émilienne.

Gabriel se ratatina sur sa chaise. Louis et Blanche hésitèrent avant de répondre. La vieille leva les yeux sur eux, puis son regard glissa sur Gabriel, qui faisait rouler ses pommes de terre dans son assiette, tentant d'échapper à la conversation.

— Alors ? reprit-elle, d'une voix où la suspicion enflait.

Avant que Louis ait pu dire un mot, Alexandre se pencha en avant, et décocha un formidable :

— Oui, il s'est passé quelque chose, Blanche et moi avons eu nos résultats !

Gabriel laissa échapper un long soupir. Louis lui donna un léger coup de coude, assez fort pour l'obliger à se tenir droit et à avaler ses légumes.

Émilienne émit un petit sifflement, mi-moqueur, mi-convaincu. Ni elle ni Louis ne demandèrent à Blanche ses notes et les appréciations des professeurs, ils connaissaient par avance la réponse. Élève travailleuse. Excellents résultats.

— Pas maintenant, Alexandre.

Blanche secouait la tête tel un cheval agacé par son licol. Émilienne voulut intervenir. Louis l'en empêcha, et d'une voix un peu plus aiguë poursuivit :

— Blanche a l'habitude des bonnes notes, alors que toi, mon vieux, ça doit te faire tout drôle.

Alexandre opina de la tête.

— Absolument, fit-il, très sérieux. C'est d'ailleurs grâce à Blanche que je suis troisième de la classe.

En disant ces derniers mots, il passa sa main dans le dos de sa voisine. Elle eut un mouvement de recul. Prise au piège, Blanche se leva, attrapa son assiette ; elle occupait ses mains, pendant que Louis plantait ses yeux dans ceux d'Alexandre.

— Qu'est-ce que tu vas en faire, de tes bonnes notes de petit garçon ?

Émilienne émit un léger grognement, agacée par la conversation. Gabriel, lui, empilait ses carottes sur sa fourchette.

Les yeux d'Alexandre brillèrent.

— Je vais pouvoir intégrer une classe commerce en septembre.

Un bruit de vaisselle cassée. Ils se tournèrent tous, mus par un mauvais pressentiment : dans le passage qui menait de la salle à manger à la cuisine, Blanche, raide, les mains encore écartées, les doigts encore arrondis comme si l'assiette, invisible, avait conservé sa place entre ses paumes, fixait Alexandre, ses pieds nus couverts de morceaux de vaisselle mouillée.

— Tu vas partir, alors ?

Émilienne fit mine de se lever, Blanche l'ignora.

— Tu pourrais rester mais tu vas partir.

Alexandre se leva et avança vers elle, la bouche tordue en un sourire désolé.

— Tu vas te faire mal.

Il se pencha en avant et ramassa les bouts d'assiette, qu'il posa un par un sur la table, pendant que Louis remplissait de nouveau son verre. Émilienne lui lançait des regards noirs. Il haussa les épaules.

— Tu pourrais rester, répéta Blanche, la gorge nouée.

Elle n'avait pas bougé.

— On en parlera une autre fois.

— C'est toi qui as commencé ! rugit-elle alors, le repoussant.

Louis étouffa un rire nerveux. Émilienne se leva d'un bond, attrapa Blanche par le bras et la maintint contre le mur. Sa petite-fille était brûlante.

— Blanche, ce n'est rien. Calme-toi.

— Non, ce n'est pas rien.

Alexandre regardait Blanche. On eût dit qu'il la découvrait pour la première fois. Il tenta d'approcher mais Émilienne le tint à distance. Penaud, il murmura :

— Blanche, ce n'est que trois ans. Je vais revenir le week-end, et toi tu pourras venir me voir la semaine et…

Alors Blanche explosa en un cri affreux. Soudain, la rage s'emparait de la maison entière ; les autres, pétrifiés, assistaient à sa métamorphose, la fureur démultipliait les forces de ce jeune corps, si frêle, si incapable de violences. Sa grand-mère la retint de tout son torse pour qu'elle ne se jette pas sur lui. Terrifié, Gabriel restait prostré sur sa chaise et Louis, debout, menaçait Alexandre, enhardi de tout son amour pour Blanche.

— Je ne peux pas partir et toi tu ne reviendras pas ! Tu détestes cet endroit ! Tu détestes tes parents ! Tu détestes tout ici !

Gabriel voulut rejoindre sa sœur, dire qu'il

comprenait, que lui aussi avait hurlé, pleuré. À ce moment précis, il aurait été le seul à pouvoir calmer Blanche, mais il ne bougea pas. Retenu malgré lui, résigné, il attendit que les pleurs de sa sœur noient sa voix. Ce timbre grave s'élevait, foule d'oiseaux délirants, et sous les tremblements que cette rage provoquait, Alexandre, ahuri, fixait la sorcière de dix-sept ans.

Blanche hoqueta un long moment, coincée entre le corps lourd d'Émilienne et le mur de pierre dont la fraîcheur rivalisait avec la chaleur atroce qui dévorait ses joues, son crâne, ses mains. Louis avança d'un pas vers Alexandre.

— Va-t'en, souffla-t-il d'une voix basse.

Guérir

Blanche devint une ombre. Une ombre besogneuse, fermée, une ombre de rage et d'abandon. Elle se déplaçait dans sa vie comme un fantôme dans une forteresse, rasant les murs pour s'y enfoncer, devenant invisible à Louis, Émilienne et Gabriel, qui l'avaient vue tomber et devenir cette pauvre silhouette. Ils n'évitaient pas le sujet ; simplement ils avaient vécu cet effondrement avec elle, Émilienne dans ses bras la retenant contre le mur, Louis jetant Alexandre hors du Paradis, Gabriel habité par ce même passé dont ils partageaient la vive blessure du départ inacceptable.

Alexandre ne reviendrait pas. Blanche le savait. Il rentrerait le premier week-end, peut-être, et après ? La grande vie. La « vraie vie » disait-il. Peut-être se pensait-il capable d'être à la fois un garçon des villes et un garçon des champs, un homme ambitieux et un homme amoureux, un fils prodige et un fils aimant, mais Blanche savait, à la manière dont il parlait de ses parents, de ses «pauvres» parents, de leur «petite» maison, qu'il n'avait plus rien à faire ici. Il ne restait qu'elle et elle ne pouvait pas laisser le Paradis, Alexandre le savait depuis le début – elle ne s'éloignerait pas d'Émilienne, de Gabriel, des cochons dans l'arène et des poules dans la cour. Elle ne pouvait pas le suivre parce que cela signifiait laisser mourir Émilienne, laisser vieillir Louis, laisser souffrir Gabriel. Que deviendrait le Paradis, si Blanche partait ? Même pour un an, ou deux, ou trois seulement ? Louis, seul, s'occuperait des animaux, des bâtiments, des champs. Émilienne, penchée au-dessus de la grande table, calculerait, chaque semaine, ce que la ferme rapportait, ce qu'elle coûtait, pensant qu'ils auraient besoin d'embaucher mais qu'ils ne le pouvaient pas. Gabriel aurait pu prendre la place de Blanche mais il ne le pourrait pas, bien sûr que non, on ne gère pas un domaine avec des yeux pleins de larmes.

Alexandre, s'il n'était pas parti «apprendre à vendre» à la ville, aurait pu travailler ici, près de Blanche. Il n'avait pas pu, ce n'était pas que son corps refusait la besogne, au contraire, mais Alexandre n'était pas un garçon de grange, d'œufs, de cornes, Alexandre n'était pas un garçon de marécage, de lisier, de grenouilles, Alexandre était un homme impatient dont les rêves dévorants dépassaient les contours du Paradis, et l'amour qu'il portait à Blanche, son amour d'adolescent, vif, éblouissant, ne suffisait pas à l'immobiliser en ces terres, près de ses pauvres parents, de leur maison étroite, près de la vieillesse d'Émilienne et du regard noir de Louis, près de la mélancolie quotidienne de Gabriel qu'il évitait à tout prix, craignant d'être contaminé par elle. Blanche était la seule trace de lumière dans cette étendue verte et brune, grise et pâle, sèche ou trempée. Et elle l'avait chassé.

La jeune fille devint une ombre et comme les ombres dans les vieilles maisons et les vastes paysages, elle ne dormait pas. Elle emplissait l'espace et l'abandonnait dans la seconde, fuyante, mue par le chagrin. Elle se nourrissait de ce qu'on lui laissait, passant après les autres, buvant après la soif des autres, s'étirant à l'infini entre les lieux du passé et ceux de l'avenir. Tout commençait, tout finissait au Paradis, ainsi nommé par une mère absente, ainsi moqué par un amour jeune, intrépide, si beau dans ses rires, si humiliant dans ses implorations. Comme une ombre, Blanche enveloppait la ferme de son silence, elle traversait la cour sans bruit, nourrissait cochons, poules et vaches sans mot. Les bêtes la regardaient, oreilles baissées, naseaux frémissants, reculant légèrement devant ses gestes mécaniques. Le foin qu'on défait, le grain qu'on étend, les ordures qu'on jette. Le seau au bout du bras dont l'anse fait un bracelet rouillé autour du poignet, les doigts refermés autour du cou pour le briser d'un mouvement rapide, efficace, la pelle qu'on passe lentement sous les merdes de vache pour ne rien en perdre. Au début, Louis l'empêcha de s'épuiser en tâches difficiles, mais elle repoussa toutes ses attentions. À mesure que le temps s'écoulait, que la fin de l'année scolaire arrivait et que, dans la cour du lycée, les élèves admis dans les classes d'enseignement supérieur discutaient à grands éclats de voix des différents moyens de loger en ville, d'aller et venir, de garder le contact, à mesure que ceux qui, tel Alexandre, avaient choisi de quitter cette terre défilaient dans la cour tels des fantassins sur le point de partir en conquête, Louis cessa de la protéger des douleurs, des réveils avant l'aube et des nuits courtes. Il fit un pas de côté, guettant l'ombre sans la frôler, la suivant parfois, craignant qu'elle ne se déchire.

Après la débâcle du dîner familial, Alexandre tenta, à plusieurs reprises, de s'expliquer avec Blanche. Au lycée, il la suivit dans les couloirs, demanda s'ils pouvaient « parler », et tandis qu'il lui exposait, suivant son pas fuyant, tous les moyens à leur disposition pour qu'ils restent « en contact » – déjà il ne disait pas « ensemble » mais « en contact » –, il se heurtait à un visage qu'il ne connaissait pas, un visage fermé, menaçant. Alexandre essaya de persuader Blanche. Toujours ce sourire immense, ces beaux yeux, cette expression de petit garçon à qui on pardonne tout, et auquel elle opposa toujours la même réponse : le silence. Alexandre se demandait si elle l'entendait, si quelque chose en elle l'empêchait de le voir, de l'écouter, de lui parler. Il revint à la ferme mais Louis l'en chassa, en silence aussi. Le sourire et la beauté d'Alexandre, son amour et sa tendresse ne lui furent d'aucun secours. Pour Blanche, il était déjà parti, il l'avait abandonnée.

Comment guérir d'un amour vivant ? Chaque jour, après le départ d'Alexandre, Émilienne répara, une par une, les failles que ce garçon avait ouvertes en Blanche. Elle changea ses draps pour faire disparaître l'odeur du jeune homme. Elle se levait avant Blanche, parfois elle ne se couchait pas, pour que sa petite-fille ait un petit déjeuner digne d'un festin – auquel il lui arrivait de ne rien toucher. Ses fruits étaient coupés en demi-lune, son café chaud mais pas brûlant, ses tartines beurrées au miel rangées les unes à côté des autres. Elle lui lavait ses vêtements chaque jour, demandait à Louis, lorsqu'il était de marché, d'acheter des livres d'occasion pour qu'elle puisse se changer les idées. Le matin, les bottes, les sandales, les petites baskets de toile de

Blanche étaient parfaitement propres sur le perron. Chaque soir, son lit était parfumé de lavande.
Le vendredi, jour de son bain depuis l'enfance,
Émilienne broyait des feuilles de menthe qu'elle
brûlait au-dessus d'une petite flamme sur le bord
de la baignoire, elle versait du miel de thym dans
l'eau chaude, lui lavait les cheveux au jaune d'œuf
et au sucre. Elle réparait Blanche. Ses vieux doigts
massaient sa peau, démêlaient sa crinière, défrois-
saient ses draps, sa vieille bouche réchauffait ses
joues, souriait sur son passage, tenait l'aiguille
pour recoudre ses pantalons. Dans son coin,
Gabriel profitait du silence qui régnait sur le
domaine pour s'enliser dans ses rêves, sans comprendre pourquoi lui n'avait jamais eu droit aux
mêmes soins, dénué de jalousie, admettant, bon
âne, que sa sœur était le rouage principal de leur
machine, et qu'aucun des trois habitants sous ce
toit ne supporterait sa chute si elle ne daignait pas
remonter des abysses où le départ d'Alexandre
l'avait jetée. Certes, elle travaillait. Autant que
Louis. Peut-être plus, mais elle était incapable
de se montrer au village, incapable d'accueillir le
moindre client, d'adresser la parole à d'anciens
camarades de classe, de demander la monnaie du
pain au boulanger. Elle travaillait dans un périmètre réduit, ne franchissant jamais les frontières
de son deuil.

Alexandre quitta le village en juin. Il avait trouvé un stage d'été chez un marchand de biens, en ville, qui lui permettrait d'engranger des points avant son entrée en école de commerce. Cela ferait bon effet, sur le dossier scolaire, un jeune homme de dix-huit ans qui passe la période estivale dans un bureau pour apprendre.

Abandonnant la petite maison étroite de son enfance, Alexandre emporta avec lui une seule et unique certitude qui, malgré l'impression d'échec, malgré le souvenir de cette dernière soirée au Paradis, le remplissait d'une force, d'une assurance, d'une confiance en lui: il avait aimé Blanche, mais il n'aimait pas la terre qu'elle protégeait. En tout cas pas aussi dévotement qu'elle. Il ne comprenait pas qu'il n'existait pour la jeune fille d'autre Paradis que celui qui abritait sa rage et sa détresse. Avec la facilité de vivre qui l'habitait et le sauvait de tout, même du désastre de son premier amour, il la laissait là, chassé par lui-même, par son âme ambitieuse.

Continuer

— Tu ne devineras jamais.

Blanche plumait une volaille, un journal déplié sous les pattes molles de l'animal, mains telle une machine à coudre piquant, s'éloignant, piquant à nouveau la peau du volatile décapité. Les années avaient étiré ses doigts, tronçonnés par les travaux quotidiens, ses mains ressemblaient désormais à deux grandes serres à cinq crochets, d'une vigueur sans pareille. La peau du dessus, plus foncée qu'en n'importe quel endroit du corps, se tachait déjà d'empreintes brunes, minuscules. Cicatrices, coups de soleil, entailles, blessures sans importance, les mains de Blanche avaient été sculptées par les pattes, les sabots et les serres, elles n'avaient plus rien de ces menottes d'adolescente qui avaient saisi les cheveux d'Alexandre alors qu'il léchait ses cuisses pour la première fois. À présent, la part d'Émilienne que l'enfance avait enfouie remontait, on la voyait poindre à la surface de ces mains. Bientôt, Émilienne, ses expressions, ses postures apparaîtraient plus nettement dans la lourdeur du buste, dans le pli qui dessinait une ligne entre l'œil et l'oreille, dans la bouche un peu basse et les lèvres fines. Pour l'instant, seules les mains de Blanche avaient été attrapées par ce début de vieillesse, de «vieillerie» disait Émilienne, des mains de campagne, d'une puissance d'homme, de soldat, d'agriculteur. Des mains immenses, tranchantes, capables de douceur de temps à autre, quand le cœur demandait une caresse, sur le dos d'un cheval ou les cheveux d'un enfant.

Blanche avait eu trente ans en avril. Pour l'occasion, Émilienne avait laissé une enveloppe sur son oreiller, une petite somme dont elle ferait «ce qu'elle voudrait»; le mot qui accompagnait la liasse de billets – si lisses et secs qu'ils semblaient avoir été repassés – demandait «de ne rien acheter pour la ferme». C'était pour elle. Qu'elle s'offre une robe neuve, des chaussures assorties, du bon vin, des livres, un aller-retour en train pour la ville. Blanche avait eu trente ans: il ne lui serait jamais venu à l'idée de dépenser un sou pour son plaisir. Évidemment, elle avait rougi en lisant ce petit mot, telle une adolescente à qui on permet de sortir le soir, puis Louis avait crié dans la cour qu'il fallait y aller et que les œufs ne se vendraient pas tout seuls. En bas, Émilienne, fatiguée mais tenace, pliée mais debout, lui avait jeté un clin d'œil avant de la regarder partir. Prisonnière de ses quatre-vingt-quatre années, Émilienne s'économisait en animal qui attend l'hiver ; elle laissait les deux grands diriger le navire immobile. Quelques mois plus tôt elle demandait encore, chaque soir, qu'un des deux lui décrive sa journée en détail. Est-ce que les génisses, les taureaux, les veaux n'étaient pas malades, est-ce que les truies mangeaient bien, les pondeuses faisaient-elles assez d'œufs, avait-on changé la corde et la gamelle du chien, et chaque soir ils acquiesçaient sagement, remontant le fil des dernières vingt-quatre heures, craignant d'avoir oublié de fermer une porte, de rendre la monnaie ou de verser le bon grain dans le bon seau. Mais ils ne se trompaient jamais. Et lorsque Émilienne prépara les dix billets de vingt pour Blanche, un plancher s'effondra en elle. Trente ans. À quel âge Marianne et Étienne s'étaient-ils tués sur la route ? Oui, à quel âge ?

Émilienne s'engagea très doucement dans l'escalier, pour déposer son cadeau sur le lit de sa petite-fille. Blanche avait surmonté la mort de ses parents, Blanche avait résisté au désir de Louis, Blanche avait accepté l'inaptitude de son frère, et par-dessus tout, Blanche avait terrassé son premier amour.

— Tu ne devineras jamais !

Louis s'était installé à côté de la jeune femme et débarrassait la table des plumes.

— À quoi ça sert que je mette un journal dessous si tu les ramasses une par une ?

Louis soupira et s'approcha d'elle, malicieux. Curieusement, le temps coulait sur lui, retirant les miasmes du passé, laissant parfois une trace de travers, un léger frémissement à la bouche, mais il ne vieillissait pas. À quarante ans passés, ses cheveux, que les travaux des champs avaient éclaircis, illuminaient son visage. Blanche le trouvait presque beau quand le soleil marquait ses joues creuses et allumait dans son œil une lueur qui ressemblait à de la joie.

— Alors, tu donnes ta langue au chat ?

Blanche prit une poignée de plumes qu'elle lui souffla au visage. Louis s'ébroua, éternua et les fit voler de plus belle autour du corps à présent rose et froid de la volaille.

— Nous sommes devenus riches dans la nuit ? dit Blanche, un rien moqueuse.

— Mieux que ça ! Gabriel a une copine ! Enfin !

Blanche suspendit sa main au-dessus du journal et écarquilla les yeux.

— Une vraie ?

Louis éclata de rire.

— Évidemment, une vraie ! C'est la fille du Marché, tu sais, la petite, avec des loches.

Il mit le torse en avant, les deux mains en arrondi.

— Merci, je vois très bien qui c'est, pas la peine d'en rajouter.

Le regard de Louis se perdit dans le fond de la cheminée. Il s'imaginait la tête enfouie entre ces deux seins magnifiques et une pointe de colère frémit au coin des lèvres de Blanche.

— Louis, tu m'écoutes ? Elle est comment cette fille ? À part sa poitrine, que tu sembles bien connaître

Il rougit, détourna les yeux et se mit à gratter la table avec le bout d'une plume plus large que les autres.

— Elle est mignonne. Son père travaille à la gare, pas loin.

Il faillit ajouter « avec le père d'Alexandre ». Blanche rabattit les quatre coins du journal.

— Elle va le croquer ? demanda-t-elle en saisissant le poulet, joignant les mains dans le trou du cul, tirant un râle de dégoût à Louis dont les pensées semblaient à présent bien loin de la délicate poitrine de la fille du Marché.

— Elle ne va pas le croquer, elle va l'avaler tout rond !

Blanche sourit.

— Tu te rends compte, reprit-il, ils se tenaient par la taille, ce matin.

Elle ordonna à Louis de se taire. Plus il vieillissait, plus il parlait. Une vraie pipelette.

Ainsi, Gabriel avait trouvé quelqu'un avec qui partager sa mélancolie. Elle vida les entrailles dans une casserole, pour le chien.

— Tu ne te moqueras pas de lui quand il nous en parlera.

Louis fit signe que non. Visiblement, la nouvelle le remplissait d'une énergie presque ridicule. Gabriel avait trouvé quelqu'un. Personne n'y aurait songé. Pourtant, quel beau garçon ! Chaque année supplémentaire l'enfonçait un peu plus dans l'adolescence. À vingt-sept ans, il en paraissait dix-sept. Il sortait peu, sa peau était blanche, éblouissante, et sa pâleur, trouée par la couleur des yeux qu'aucun sourire ne plissait, transformait chacun de ses mots en sermon. Un ange traversait chaque jour la cour du Paradis, avec ses cheveux qu'il ne coiffait pas, ses pantalons froissés, ses chemises dont les manches sans boutons pendaient autour de ses bras maigres.

Gabriel ne vivait plus au Paradis. En tout cas, pas dans la maison d'Émilienne.

Lorsqu'il avait terminé son lycée, il s'était enfermé pendant des mois dans sa chambre, à l'étage. Le petit frère de Blanche désirait être seul. Il ne voulait voir personne. Émilienne l'avait laissé à ses profondeurs qu'elle ne comprenait pas, ou qu'elle comprenait trop bien. Elle savait qu'il en remonterait quand le moment serait venu, et l'été de ses dix-neuf ans, il avait décrété qu'il trouverait du travail au village. Il louerait la petite maison de l'autre côté de la route – plus un cube qu'une maison – de manière à n'être jamais loin. Il avait dit cela à la fin d'un dîner auquel il n'avait rien touché, et lorsqu'il s'était levé pour l'annoncer, avec un air de défi, Louis avait émis un sifflement admiratif. Émilienne avait lancé :

— Tu étais obligé de te mettre debout pour nous dire que tu traverses la route ?

Blanche n'avait rien ajouté. Elle lui avait adressé un regard plein d'affection – pas d'amour, d'affection – regard auquel il avait timidement répondu, déjà absent.

Et il était parti. Réellement. Il avait travaillé comme homme à tout faire au bistrot, puis dans l'arrière-salle du bureau de poste, la nuit. On lui avait fait nettoyer les rues, les assiettes, les toilettes, puis il avait castré le maïs, et Émilienne avait cru qu'il ne tiendrait jamais la cadence, maigre et faible qu'il était. Dès qu'il s'était trouvé hors du Paradis, Gabriel avait puisé en lui des forces que sa grand-mère et sa sœur ne lui connaissaient pas. Une fois la saison estivale terminée, après avoir payé deux mois de loyer d'avance, il s'était installé, avec rien, rien de rien, dans ce cube de bois et de béton de l'autre côté du virage où ses parents avaient été retrouvés morts.

À partir de ce jour, il était venu «passer le bonjour» au Paradis, demander si tout allait bien, prendre parfois le café. Mais jamais il ne disait grand-chose de lui-même ni ne répondait précisément aux questions d'Émilienne. Il venait, simplement, montrer qu'il se portait bien et qu'il s'en sortait, mieux qu'il ne s'en était sorti ici. Il n'était pas heureux ni même soulagé, mais quelque chose de léger se lisait dans sa manière d'arriver, le soir, à sept heures. Peut-être que vivre en dehors du Paradis lui procurait un anonymat bienvenu, creusait en lui un vide, une place pour les pensées et les souvenirs qui n'appartenaient qu'à lui. Hors du regard de Blanche et d'Émilienne, hors de cette chambre qu'il avait partagée avec Louis, Gabriel grandissait, enfin.

Quand il s'était installé en face, on n'en avait rien dit. Émilienne avait demandé à Louis de tenir sa langue, et lorsque Louis avait demandé pourquoi elle avait répondu, agacée, presque triste : «Tu sais.» Au début, Louis passait chez Gabriel, demandait s'il n'avait besoin de rien, s'il voulait faire quelques pas ensemble ou aller boire une bière ; il trouvait Gabriel allongé sur son lit, assis sur son fauteuil, très calme, qui disait toujours «non, je te remercie», pas «non, merci» mais «non, je te remercie» avec une voix nouvelle, une voix de quelqu'un qui avait trouvé une place,

124

quoique lugubre, quoique minuscule, mais une place. Il se sentait tel un enfant sur le point de naître une seconde fois et, au bout de quelques semaines, Louis n'était plus venu lui rendre visite. Il le guettait au village, lorsqu'il passait au Paradis le soir, à la manière d'un oiseau au-dessus d'une forêt sombre. Louis dut se résoudre à l'idée qu'il allait bien, pas parfaitement bien, mais bien, tout simplement.

Et voilà qu'il embrassait une fille, et voilà qu'une fille marchait à ses côtés. Gabriel vivait dans son cube, après l'épingle, avec ses rêves, ses silences, et voilà qu'une fille était prête à partager ces rêves et ces silences.

Gabriel dessinait, sa main n'avait jamais cessé, depuis l'enfance, depuis la mort de Louloute, de tracer de grands traits sur des feuilles, des pages, des murs. Gabriel dessinait, Émilienne disait qu'il tenait de son père, le même genre, avec les cheveux n'importe comment, l'air «à côté de la plaque», le monde l'avait couché dans la crasse avant tous les autres. Et voilà qu'une fille, une jolie fille, venait le relever.

Comme à son habitude, Gabriel pénétra sans manière et sans violence dans la salle à manger. Blanche, encore sous le choc, le fixa avec des yeux pétillants.

— Tu en fais une tête, lui dit son frère en

retirant ses chaussures alors qu'elles avaient déjà sali le vestibule.

—Elle vient d'apprendre la nouvelle, railla Louis.

Blanche passa son pouce sur son cou. Gabriel s'assit à ses côtés, l'air de ne rien comprendre.

—C'est ça qui te rend si joyeuse ?

Blanche rit. Les mains dans la volaille.

Gabriel lança un regard à Louis qui l'attrapa comme un couteau jeté à travers la pièce. Les sourcils froncés, le frère de Blanche le questionnait.

—Bon, d'accord, c'est moi qui ai lâché le morceau, souffla Louis. En même temps, je vous ai vus tous les deux devant l'école ce matin, vous ne vous cachez pas.

Gabriel soupira. Blanche crut qu'il allait leur parler de cette fille, mais il se referma. Elle retira sa main droite de la bête, la paume dégoulinant d'un mélange de sucs et de sang. Gabriel évita ses regards. S'il avait pu quitter la pièce, si seulement il avait pu quitter la pièce.

—Qu'est-ce qui se passe ? demanda-t-elle, tu es bien sombre tout à coup.

Louis ouvrit la bouche pour lancer une de ses blagues mais Blanche, d'un coup d'œil, l'en dissuada.

—Je pensais que tu parlais d'autre chose, dit Gabriel, mal à l'aise.

126

Louis émit un *pfff* sonore. D'ordinaire, il était au courant de tout.

— De quoi est-ce que tu parles ?

Gabriel pivota sur lui-même, face à la cheminée, les yeux perdus dans les cendres froides.

— Alexandre est revenu.

Dire

On aimait son grand sourire, les fossettes qui encadraient sa bouche, inscrivant sur son visage un reste d'enfance tenace auquel on faisait immédiatement confiance. Ce jeune homme ne pouvait être autrement que bon.

Alexandre n'avait rien perdu de son charme, il l'avait même fortifié, édifiant des remparts de bienveillance, des promesses agréables à l'oreille. Il passait sa vie à fouiller dans le regard des autres, dans leurs gestes, les méandres de leur âme, pour s'y faufiler gentiment, sans violence, avec cette aisance extraordinaire bien qu'agaçante et cruelle. Il obtenait ainsi des accords rapides, des signatures dans la journée ou la semaine, des chèques qu'il promettait d'encaisser quand « ça vous arrange, bien évidemment ». On louait ses manières ; l'homme qui l'avait accepté en stage d'été après son lycée avait suffisamment apprécié la vivacité de son poulain pour le garder deux ans, en alternance. Puis il avait été embauché sur-le-champ. Pendant douze ans, le grand amour de Blanche œuvra pour la même agence, tenue par la même famille depuis trois générations.

Il vendait des espaces, des terrains, des appartements, des maisons, des garages, des commerces. Au début, il répondait juste au téléphone : sa voix apaisait les angoisses des clients, avec la même candeur assurée du marché aux œufs de son enfance. Bien sûr, les clés de l'appartement seraient disponibles une semaine plus tôt, bien sûr la maison était saine et le toit refait, bien sûr la parcelle en sortie de ville était constructible. Chaque phrase, chaque réponse commençait par « bien sûr ». Et ça marchait. Peu importe que le toit ait des trous de la taille du poing, peu importe que le terrain se trouve en zone inondable, peu importe que l'appartement pue l'humidité, la phrase magique effaçait tout. « Bien sûr madame. Bien sûr monsieur. » Mieux encore, on ne lui en voulait jamais. Il était si jeune, si charmant, son regard était si plein de cette fausse honnêteté du débutant, qui aurait pu lui reprocher quelques mensonges ? Bien sûr, Alexandre était l'homme de toutes les situations.

Huit ans après son arrivée, on l'envoya un mois en Nouvelle-Zélande, à la recherche d'un obscur héritier d'une famille dont l'unique fils avait mis les voiles des années auparavant, et dont l'héritage constituait une mine financière pour l'agence. Sur place, Alexandre retrouva l'homme en question, se lia d'amitié avec lui, et sillonna à ses côtés le sud du pays, où des terrains abandonnés pourrissaient face à l'océan. Alexandre conclut un marché avec son hôte : il acheta une parcelle en bord de plage, l'héritier s'occuperait de ne pas la laisser périr, et lui, Alexandre, entretiendrait la demeure familiale en France afin qu'il puisse la vendre un bon prix. Il rentra propriétaire d'une dizaine d'hectares qui vaudraient, vingt ans plus tard, dix fois la somme initiale, et l'héritier, sur son île gigantesque, savait qu'un jeune garçon s'occupait d'assurer ses vieux jours. Il lui avait fait confiance. Comme tout le monde.

Après son retour en France, il entretint avec l'héritier une correspondance régulière. Pendant que l'autre veillait sur les terrains, il améliora l'aspect extérieur de la demeure familiale de l'exilé, fit tondre la pelouse, tailler la haie, changer les parquets et refaire les peintures. Rien d'onéreux. Rien qui ne soit à la portée des hommes de sa connaissance qu'il appelait en cas de rénovation hâtive pour revendre un bien. Il lui arriva même de donner un coup de main sur le chantier, pour montrer qu'il se préoccupait de tout, jusque dans les moindres détails. On ne toucha pas à la plomberie défectueuse, ni à l'antique réseau électrique. De l'extérieur, pour un œil débutant, cette maison était tenue. Elle fut vendue trois ans après le retour d'Alexandre, à un couple de visiteurs tombés amoureux du jardin parfaitement agencé. Le portail était neuf, les fenêtres avaient été changées, aucune feuille morte ne gênait le passage jusqu'à la porte d'entrée. Une merveille. À vendre. Alexandre joua de ses fossettes, prit des airs de comploteur qui vous fait une confidence et, dans le mois qui suivit, l'héritier devint, grâce à la parole sacrée de son ami lointain, un exilé tranquille, sans plus aucun lien avec la France que son drôle de partenaire en affaires.

— En tout cas, c'est ce que j'ai entendu dire, précisa Gabriel.

Il venait de tout raconter. Le retour d'Alexandre, la Nouvelle-Zélande, l'ami lointain. L'argent. Tout.

Émilienne le regardait avec des yeux de hibou : Gabriel semblait fébrile. Une sorte d'empressement mêlé de crainte et d'excitation le poussait à rajouter des détails, sur l'héritier, sur la maison et le jardin piqué de roses, des variétés anciennes, « tout à fait exceptionnelles », et Louis secouait la tête, mangé de curiosité.

— Mais alors, pourquoi est-ce qu'il revient maintenant ? maugréa Louis. Pourquoi est-ce qu'il ne part pas en Nouvelle-Zélande, au lieu de faire le beau ici ?

Gabriel lança un regard à Blanche. Elle écoutait. Immobile.

—Elle m'a dit qu'il comptait s'installer, mais rien n'est sûr. Ses parents ne l'avaient pas vu depuis douze ans, ils sont comme des gosses, souffla-t-il, cherchant les yeux de sa sœur qui s'étaient perdus, saisis de suppositions, dans les nœuds du bois de la table.

—Qui ça, «elle»?

—Aurore, la fille du Marché. Son père travaille à la gare avec celui d'Alexandre, c'est lui qui lui a tout raconté.

Louis ricana.

—Ah oui, je l'avais oubliée celle-là.

Gabriel haussa les épaules. Émilienne pivota difficilement sur elle-même et fit couler l'eau sur la vaisselle sale.

Aurore et Gabriel. *Ça fonctionne, à l'oreille*, pensa Blanche, le nez toujours piqué sur la table, fixant les rainures, imaginant qu'elles s'ouvraient pour l'avaler et la mener loin, très loin, au centre de la terre, sous ces champs, ces culs de vaches, ces pattes de poules, sous le Sombre-Étang où désormais la présence d'Alexandre planait tel un oiseau de printemps qu'on n'attendait plus.

Avoir faim

La petite maison, coincée entre deux autres qui lui ressemblaient en tous points, jusqu'à la couleur des volets et la hauteur de la pelouse devant la porte, la petite maison effraya Alexandre lorsqu'il se gara, les roues parallèles au muret bas sur lequel un vase de terre cuite brun, vide, trônait à côté d'une boîte aux lettres où le nom de ses parents s'effaçait. Ils ne prenaient pas la peine de changer l'étiquette, le facteur savait qui vivait là : ces gens, ce couple dont le fils avait fichu le camp à sa majorité, n'avaient pas bougé d'un centimètre, leur vie n'avait pas changé, si ce n'était le départ de cet enfant pour la grande ville, où il avait réussi, disait-on, il était même allé en Nouvelle-Zélande… Cet Alexandre si beau, si poli, si sûr de lui, en Nouvelle-Zélande !

Il poussa la barrière de fer, jeta un regard rapide sur le gazon parfaitement tondu et avança jusqu'à la porte. Il n'eut pas le temps de sonner : sa mère ouvrit alors qu'il lissait sa chemise, tirant sur le bas, et quand elle le prit dans ses bras, Alexandre frissonna. L'enfance remontait en lui comme un cadavre du fond d'une rivière.

— Mais entre, enfin ! Ne reste pas planté là.

Il lui offrit son sourire qu'il pensait le plus beau.

Après son départ, le fils n'était jamais revenu chez ses parents. Il les avait appelés, sa mère était venue lui rendre visite, à plusieurs reprises, dans sa petite chambre soignée, bien tenue, qu'il payait en travaillant le week-end et les jours de fête. Son père répondait au téléphone quand, chaque vendredi en fin d'après-midi, il décrochait le combiné de l'agence pour raconter sa semaine, prendre des nouvelles de la leur. Toujours les mêmes histoires. Alexandre appelait, s'inquiétait, mais il n'était pas revenu, à Noël, le jour de l'An, il travaillait en ville puisque tout le monde partait en vacances ou rejoindre sa famille, lui tenait la caisse du cinéma, vidait les rayons des magasins d'alimentation, n'importe, il gagnait sa vie. « Maman, j'ai besoin d'argent pour louer un véritable appartement et il faut que je trouve cet argent quelque part, il ne va pas tomber du ciel » – voilà ce qu'il répondait à sa mère qui le suppliait de venir, au moins un week-end, déjeuner à la maison.

Le jour où son père, dans son fauteuil, avait entendu son fils annoncer « Je reviens au village.

136

Je serai là dimanche», les parents avaient pensé que quelque chose de grave était arrivé. Peut-être avait-il perdu son emploi, peut-être qu'une maladie incurable était en train de le ronger. Ils ne comprenaient pas ce retour, ni cette voix au téléphone, assurée.

Maintenant qu'il avançait dans l'étroit couloir au bout duquel sa chambre, fermée, l'appelait de tous les souvenirs qu'elle contenait, Alexandre sentit le vertige le gagner. Il bifurqua vers la salle à manger, où la table était dressée entre la cheminée et le buffet, avec ses assiettes en porcelaine peintes de scènes champêtres blanc et bleu. Sa mère avait préparé un rôti de bœuf et son père sorti une bouteille d'un vin rouge correct. De l'autre côté de la pièce, par la fenêtre, le champ qui donnait sur la forêt avait été clôturé, mais au pied du mur, une bande de capucines courait sur deux mètres.

— C'est joli, ces fleurs, souffla Alexandre en s'asseyant à sa place, à côté de son père.

Un large sourire illumina le visage de sa mère.

— Oui ! Le propriétaire du champ nous a permis de les planter, précisa-t-elle, tant qu'elles ne prennent pas trop de place. Ça fait un peu de couleur.

— Et ça occupe ta mère, lança le père.

Alexandre fut saisi d'un haut-le-cœur.

— Ça va, mon gamin ? Tu te sens mal ?

L'homme avança sa main sur l'épaule de son fils.

— C'est rien. L'émotion du retour, blagua Alexandre.

Sous la table, son talon jouait un rythme fou sur le tapis.

— J'aimerais acheter ce champ. On pourrait faire une terrasse à l'arrière. Mettre plus de fleurs. Ce serait beau.

— Ah, toujours tes idées folles ! s'exclama la mère, se levant pour servir son fils.

Alexandre lui jeta un regard noir avant de s'apaiser. Pendant une demi-seconde, un voile de colère avait couvert son visage, il voyait à travers ses mailles, ne distinguant que des silhouettes floues et voûtées.

— Ce n'est pas une idée folle. J'aimerais revenir habiter dans le coin, et faire les choses bien, vous voyez.

Ses parents se regardèrent, éberlués.

— Mais enfin, mon chéri, reprit sa mère, penchée sur lui, que veux-tu qu'on fasse d'une terrasse ? C'est que des embêtements.

— Et le bois ça prend mal la pluie, conclut son père, portant son verre de vin à ses lèvres. Mange tant que c'est chaud, gamin, tu as maigri, tu travailles trop et tu ne manges pas assez.

Alexandre voulut répondre mais son père, le nez dans son assiette, découpait sa viande si vivement que la table entière en était secouée.

La fin du repas s'étira en silence. De temps à autre, sa mère lui demandait des nouvelles de son patron, Alexandre répondait que tout allait bien, depuis son retour de Nouvelle-Zélande on le considérait comme le chef de l'équipe. Tout allait bien, vraiment. Rien à signaler.

— Y a une fille dans les parages ? lança son père, au moment où sa mère débarrassait.

Alexandre tressaillit.

— Tu penses vraiment que j'ai le temps pour ça ?

— Tu sais que la petite Émard n'a pas le temps pour ça non plus.

Le visage de Blanche, au lit, traversa son esprit.

— Je voudrais m'installer ici, ouvrir une agence, à mon nom.

— Pour quoi faire ? lança sa mère, de la cuisine où la cafetière gargouillait.

Alexandre soupira. De nouveau, ses entrailles se contractèrent.

— Parce que je veux faire les choses bien, je veux avoir quelque chose qui n'appartient qu'à moi.

Puis il ajouta :

— Et que vous soyez fiers de moi.

Devant la maison, sa voiture, propre, bien garée, jurait avec le gris du goudron et le blanc sale de la clôture. Planté au milieu du jardinet, Alexandre, les mains sur les hanches, haletait. Ses chaussures prenaient l'eau, le bas de son jean impeccable, froissé par l'herbe trempée, mouillait ses chaussettes. Il avait trop tiré sur sa chemise : les plis marquaient le nombril, aux épaules elle tombait un peu. Le tissu synthétique, de mauvaise qualité, grattait la peau. Il ferma un long moment les yeux puis, très calme, avança jusqu'au muret. Il attrapa le vase vide et le jeta de toutes ses forces sur le bitume, où la terre cuite explosa.

Séduire

Aurore somnolait sur le lit de Gabriel.

Elle travaillait au Marché, le café sur la place où, chaque jeudi et chaque premier dimanche du mois, on installait tables, tréteaux, cagettes, sacs et bâches. Toujours vendre. Encore plus. Encore plus vite. Aurore comprenait cela ; on lui demandait d'être efficace, surtout les jours de marché, on lui disait « les clients doivent avoir l'impression que tu sais avant eux ce qu'ils veulent », « ils ne doivent pas avoir le temps de se demander s'ils ont raté leur vie entre le moment où tu prends la commande et le moment où leur assiette est pleine ». Alors elle travaillait vite.

Ils s'étaient rencontrés dans l'arrière-salle du Marché. Gabriel lavait les assiettes. Au début, il peinait à suivre la cadence ; elle lui avait montré les bons gestes pour gagner du temps. Ensemble, pendant des mois, ils avaient passé leur journée dans cet espace blanc, d'un blanc tirant sur le gris, étincelant de propreté le matin, de graisse le soir, retentissant des ordres du patron, des rires avinés des clients. Le jour où Gabriel eut économisé l'argent nécessaire à son installation de l'autre côté de la route, il avait quitté la cuisine, se promettant de ne pas y revenir et, en arrivant au Paradis, les mains décapées par le détergent, il avait trouvé dans sa veste un dessous de verre plié en deux sur lequel était griffonné un numéro de téléphone, et «pas après 10 heures».

Gabriel avait appelé. Ils s'étaient vus le lendemain matin. Aurore portait sa blouse mais, pour la première fois en dehors de cette cuisine infâme, ils ne surent quoi se dire. Gabriel baissait la tête, dodelinant, Aurore se tenait à ses côtés, plus raide qu'à sa communion. Ils avaient marché un petit kilomètre dans la rue principale du village, silencieux mais timides, ravis, puis ils étaient revenus à leur point de départ devant le Marché, et Gabriel avait soufflé «à demain».

Il était revenu. Elle portait sa blouse. Ils avaient cheminé plus longtemps cette fois et Aurore, de derrière son sourire, avait déclaré d'une voix très sûre : «C'est agréable de marcher quand on n'a rien à dire.» Chaque jour, le manège avait recommencé, à la même heure. Aurore l'amusait, il riait, et plus ce grand gamin s'esclaffait, plus elle laissait ce rire l'emplir d'amour et de joie. Six mois de marche et de blagues eurent raison de Gabriel :

142

lorsqu'elle le quitta, un matin, il lui demanda s'ils pouvaient se voir «le soir par exemple», il gémit un peu en disant «on peut marcher ou faire autre chose» et Aurore répondit «on fera sans doute autre chose».

Le lit de Gabriel ressemblait au frère de Blanche : défait mais accueillant. Maintenant qu'elle y passait ses nuits, Aurore comprenait qu'elle ne soignerait pas Gabriel, qu'il y avait en lui un arbre noir depuis l'enfance, que la mort de ses parents avait arrosé de colère ; elle ne pouvait pas le tomber, cet arbre, seulement couper quelques branches quand elles devenaient trop encombrantes. Elle le rafraîchissait, le frictionnait de ses mots et de son sourire, elle le secouait pour que tombent de son âme des feuilles mortes et des fruits empoisonnés.

— Aurore ?

Elle maugréa. La journée avait été longue. Ses vêtements sentaient encore la pomme de terre chaude et l'oignon.

— Pourquoi Alexandre est-il revenu ?

Elle se redressa, l'œil mi-clos, le visage marqué par les plis des draps.

— Aurore, qu'est-ce que tu sais de lui ?

Elle se mit en tailleur. Gabriel s'était assis au bord du lit.

— Je t'ai dit tout ce que mon père m'a raconté,

souffla-t-elle. Alexandre a fait fortune en Nouvelle-Zélande. Ses parents sont très fiers.

Gabriel fixait sa bouche, cherchant dans le mouvement de ses lèvres un mot qu'elle refusait de dire à haute voix.

— Ce que je veux essayer de comprendre, c'est pourquoi.

— Pourquoi quoi ?

— Pourquoi est-ce qu'il est revenu ?

Aurore s'appuya contre l'oreiller.

— Son père dit qu'il va racheter le terrain der-rière leur maison, qu'il va racheter le village tout entier…

Gabriel visualisa rapidement la petite route, affreuse, où vivaient les parents d'Alexandre. Derrière, des hectares de terrain.

— Et qu'est-ce qu'il va en faire ?

Cette fois-ci, elle bondit hors du lit, dans une pirouette légère.

— J'en peux plus de cette odeur d'oignon.

Aurore fit le tour du lit et s'agenouilla devant Gabriel.

— J'en sais rien, Gabriel. Je ne connais pas Alexandre. Je ne sais pas pourquoi il est revenu.

Puis, avant qu'il ait pu dire un mot, elle lui passa un doigt sur la bouche.

— Tu t'inquiètes pour ta sœur, mais tu ne peux rien faire.

Cacher

Blanche n'était pas montée dans les combles du Paradis depuis son enfance. Petite, déjà, elle rechignait à arpenter la pièce, les poutres menaçantes lui semblaient des sourcils froncés au-dessus de sa tête.

C'était une longue enfilade de meubles cassés, d'objets en tout genre qu'Émilienne n'avait pas jetés. Des tables sur trois pieds, des chaises, du linge de lit dévoré par les mites et la poussière, des cadres vides, des caisses, en bois, assez larges, empilées, pleines de vieille vaisselle, de carafes, de pichets, et par-dessus des couvertures trouées. Émilienne les gardait « au cas où », ou bien avait-elle simplement oublié tout ce qu'elle avait entreposé ici. Un portant gisait, vitre cassée, contre le mur. Des cintres soutenaient les robes et les pulls que Marianne et Étienne portaient dans leur jeunesse, des robes et des pulls dont aujourd'hui personne n'aurait osé se vêtir, tant ils étaient sombres de couleurs et de présages.

Blanche ne s'intéressait pas aux affaires de sa mère. Elle souleva vivement les caisses de vaisselle, déplia les couvertures. Une araignée fila sur son épaule, comme si elle ne voulait pas déranger, et Blanche tira une autre caisse de derrière une commode très lourde dont les tiroirs manquaient. Sur le couvercle, la lettre « E » gravée au couteau. Elle la caressa, comme le dessus d'un coffret renfermant quelque bijou précieux, et de nouveau l'araignée apparut sur la tranche.

À quelques centimètres de la bête, la main de Blanche tremblait. Elle n'avait pas peur. Elle ne craignait pas les huit « aiguilles à tricoter », les poils qui les couvraient, la vitesse à laquelle la bête apparaissait et disparaissait, non, mais sa main tremblait de plus en plus fort, prise d'une convulsion inattendue. Blanche l'approcha des pattes et, au lieu de souffler dessus ou de la déloger gentiment, la fille Émard saisit l'araignée, ses doigts se refermèrent sur le corps rond qui s'agita fiévreusement. Elle la devinait contre sa paume, la bête se débattait, dans ce piège refermé sur elle. Les frissons de l'araignée parcoururent son corps à elle, et ses paupières battirent légèrement avant qu'elle ne revienne à la réalité. Alors, elle porta sa main à sa bouche, les pattes entre ses lèvres fines se raidirent une dernière fois avant d'être mâchées, fruit pas mûr que l'on mord, encore et encore. Blanche gardait les yeux ouverts tandis qu'elle la dévorait.

Elle avala la bête et se releva, s'engouffrant dans la trappe, son trésor sous le bras gauche, la main droite agrippée aux barreaux.

Émilienne lui avait toujours dit qu'Étienne s'était senti au Paradis comme en un pays nouveau. Sa formation en géographie lui avait donné un certain goût de la terre. Quand il ne travaillait pas, Étienne traversait les Bas-Champs, s'agenouillait au bord de l'eau, reniflait des pistes, ouvrait des buis touffus et s'y enfonçait. À sa mort, sa belle-mère avait rassemblé ses affaires dans cette boîte, « au cas où » disait-elle, « au cas où » ses enfants désireraient, un jour, savoir ce qu'aimait leur père, quelles passions agitaient son drôle d'air quand il quittait la classe de l'école où les gamins tournaient autour de son grand corps en une nuée d'abeilles.

Blanche retira le couvercle. À l'intérieur, une trousse cassée. Une montre, arrêtée. Un album photo, que Blanche connaissait bien puisque Émilienne, pendant des mois, leur avait montré des images de leurs parents, pour que les enfants, Gabriel surtout, ne les oublient pas. Peu à peu, Blanche et son frère n'y avaient plus trouvé aucun réconfort.

Des cahiers. De toutes tailles. Des petits cahiers de brouillon. Bleus. Dedans, des histoires, des tas d'histoires, certaines très détaillées, d'autres arrêtées au milieu d'une phrase, des croquis, des cartes du Paradis avec le chemin, la cour dessinée rapidement, la maison à droite et les fenêtres aux volets rayés, la grange, à gauche, remplie de foin. Puis le royaume des poules, et derrière les Bas-Champs et le Sombre-Étang. D'autres cahiers, plus grands, à la couverture rigide, à l'intérieur, pas de carreaux, seulement des lignes noires et larges. Blanche saisit l'un des trois empilés dans le fond de la caisse et le feuilleta doucement, de peur que ses gestes ne dissolvent le papier.

Sur la première page Étienne avait noté, de sa belle écriture de professeur :

   « Une petite histoire du Paradis »

Blanche sourit.

Le premier tome était un mélange d'observations, de notes, de dessins rapides. Étienne avait inspecté chaque bâtiment, chaque espace de la ferme, il avait décrit la forme du toit, le mufle des vaches, le cri des poules. Il parlait de la couleur de l'herbe de l'autre côté de la maison et de la fosse à cochons, qui l'effrayait un peu.

Elle parcourut les trois cahiers pendant des

heures. Tout y était. Chaque livre traitait d'un élément précis : la pierre, les bêtes, les végétaux. Dans cette dernière partie, une photographie aux couleurs passées représentait deux enfants nus dans une bassine, avec par-dessus leurs têtes la truffe d'un chien. Blanche reconnut une baignoire à présent remisée au grenier, sous le portant des robes et des pulls. Son cœur fut pris d'assaut par le souvenir de cet après-midi où sa mère les avait lavés, dehors, dans cette bassine : le chien était venu battre de la queue et Gabriel avait ri. Elle retint un sanglot et passa à la page suivante, où son père avait fait un croquis grossier de l'étang que possédait Émilienne, à six cents mètres de la ferme, derrière la pente du poulailler. Cet étang était cerclé d'herbe drue où les vaches paissaient, tranquilles, une bonne moitié de l'année. Des bois fermaient la propriété au nord. L'été, Blanche et Gabriel jouaient sur la berge. L'étang avait beaucoup plu à Étienne : sur cinq ou six pages il décrivait la courbe de ses rives, la profondeur en son centre. Un petit article de presse local, scotché dans la partie rigide du cahier, titrait « Un petit coin de Paradis » et Blanche inspira un long moment ; les notes de son père infusaient en elle, lui révélant des secrets sur cet homme qu'elle était certaine d'avoir aimé. Son père. Louis, Alexandre. Elle n'avait connu que ces hommes-là. L'un l'avait quittée tôt, il lui arrivait d'oublier les traits de son visage. L'autre vivait à ses côtés en animal qu'elle dressait constamment à ne pas se jeter sur les choses et les gens, et le troisième, Alexandre, lui avait déchiré le cœur comme on craque le papier d'un premier cadeau d'anniversaire.

Battre

Quand Blanche repensait au dernier soir, à ce dîner où sa grand-mère l'avait retenue contre les pierres qui s'enfonçaient dans son dos – ou peut-être son corps entrait dans la pierre, suppliant qu'on l'engloutisse –, quand Blanche repensait aux lames qui l'avaient traversée, elle sentait la présence d'Alexandre. Elle revoyait Émilienne penchée sur elle dans son bain : Blanche avait dix-sept ans, bientôt dix-huit, et sa grand-mère la lavait, lui parlait, la portait comme une enfant. Son amour pour Alexandre lui avait confisqué toutes ses armes, ou plutôt elle avait accepté de les lâcher, par amour pour lui. Elle s'était montrée telle qu'elle était, si jeune, si allégée du poids de tout, et il l'avait brisée. Plus que son départ, c'était cet air désolé, cette ambition idiote, alors qu'elle et Louis se levaient si tôt, travaillaient si dur pour le Paradis – oui, c'était cela qui, à présent, la ravageait de nouveau : les mots d'Alexandre, ces pauvres mots dont il ne savait rien faire sinon les mettre les uns derrière les autres pour former de jolies phrases sans profondeur. Et elle, rompue de tristesse contre sa grand-mère, qui luttait pour qu'elle ne tombe pas, qui luttait depuis toujours, pour que Blanche soit forte.

Depuis qu'elle avait appris la nouvelle, qu'elle savait qu'Alexandre rôdait, à quelques kilomètres du Paradis, Blanche n'était pas sortie des frontières du domaine. Louis s'occupait du marché le jeudi et le premier dimanche du mois ; il ne posait pas de questions, exécutant les ordres silencieux d'Émilienne. Blanche, elle, traversait la cour, descendait à la fosse puis revenait, inspectant la grange, nourrissant les poules. Elle bougeait sans cesse, elle bougeait, terrifiée. Émilienne la voyait faire depuis la fenêtre de la cuisine et ne disait rien.

Alexandre était revenu.

On ne parlait que de cela, au Marché, dans le bourg, à l'église.

Protégée par les palissades du Paradis, Blanche se préparait, à quoi exactement elle n'en était pas certaine, mais elle se préparait. Son corps était tendu, une branche semblait pousser à l'intérieur, elle avançait telle une machine, si droite, si précise, effrayante d'énergie froide, de ruminations, de rage contenue. Alexandre était revenu, il n'avait prévenu personne, il ne s'était pas annoncé au village, non, simplement il était là, bien vivant, chez lui, sur les terres qu'il avait détestées. Blanche se préparait à admettre sa présence à ses côtés, à admettre qu'il lui suffisait de se rendre au village pour le croiser, entendre sa voix, son nom. Alexandre.

Trente ans. Qu'avait-elle accompli ? Qu'avait-elle vécu, depuis ce soir désastreux ?

— Si peu, pensa-t-elle à haute voix, les yeux fermés, si peu.

Les douze dernières années avaient été exténuantes. Et si belles. Chaque matin, le paysage de la cour et de l'arbre rouge lui emplissait le cœur d'espoir, écrasant la rage que le départ d'Alexandre avait nourrie. Chaque soir, le ciel qui baissait sur l'étang, les vaches aux cloches tintant dans l'étable lui apportaient un réconfort qu'elle avait du mal à nommer. Les sons familiers, les couleurs attendues l'autorisaient à se coucher, à sombrer dans un sommeil où les rêves ressemblaient à la vie qu'elle menait. Blanche avait tout appris de la terre, des animaux qu'elle élevait pour les tuer ensuite, des autres paysans, dont elle se méfiait tout en travaillant avec eux. Elle avait appris à être solide, respectable, mais Alexandre, avec ses grandes idées, ses grands rêves et ses tout petits mots, l'avait faite basculer. Personne n'avait su faire basculer Blanche de la sorte. Personne. Bien sûr, des garçons, des hommes, parfois même les pères de ces garçons et de ces hommes l'avaient invitée. Blanche n'était pas sotte ; elle disait oui et, le jour du rendez-vous, Louis l'accompagnait en voiture. Quand on les voyait tous deux avancer côte à côte, on oubliait la fille et on ne voyait que ce drôle d'épouvantail. Personne ne sut que son sexe avait la même couleur que les branches de l'arbre dans la cour.

Entendre le prénom d'Alexandre avait réveillé chez elle une bête, créature de désir et de larmes. Blanche se préparait : elle patrouillait au Paradis sans relâche. Lorsqu'elle s'arrêtait, épuisée, il lui fallait s'endormir vite ; la figure si belle, si douce d'Alexandre la hantait. Ce visage n'en finissait pas d'agiter en elle des flammes vacillantes.

Rencontrer

La place du village était un ventre ouvert, grouillant d'hommes et de femmes, d'enfants et d'animaux. Sous les bâches, les tables dressées – une quarantaine en tout –, les petits couraient dans les jambes des marchands, s'égratignant parfois au rebord d'un muret ou d'une palette débordant de fruits. Le jeudi, cette place fourmillait jusque tard dans l'après-midi : les premiers arrivants déballaient à cinq heures du matin, les «bestiaux» – ainsi surnommait-on ceux qui vendaient des animaux vivants – venaient plus tard. Installés sur le parvis de l'église, leurs stands fumaient de plumes, de poils, de claquements, de grattes. Les gosses tournaient autour des bêtes, et celui qui s'approchait le plus sans se faire tirer l'oreille gagnait la partie. Chaque semaine, qu'il neige, qu'il vente, que la pluie recouvre tout, chaque semaine, le jeudi c'était jour de marché.

Derrière son étal, son air calme, Blanche

maîtrisait les conversations, la caisse, un œil sur l'allée centrale, l'autre sur les clients qui se penchaient sur ses œufs, ses tomates, ses salades, ses poules placées dans une cage d'où elles ne sortaient pas à moins qu'elle n'en saisisse une par le cou. Ce jeudi, elle avait pris la place de Louis, retenu au Paradis par la naissance difficile d'un veau. Émilienne n'avait pas eu besoin de pousser sa petite-fille ; elle s'était naturellement proposée. Pour la première fois depuis l'annonce du retour d'Alexandre, elle avait franchi l'enceinte de son royaume, hors de sa chambre, de sa forêt, de sa fosse sacrée où les cochons, cuisant dans la boue et les déchets qu'on leur jetait par-dessus la barrière, lui semblaient meilleurs compagnons que ces âmes qui la saluaient, d'un geste de la main, d'un mot rapide mais courtois, d'une petite tape dans le dos, elle qui craignait qu'on la touche. Depuis Alexandre, la moindre caresse ouvrait en elle un puits sans fond, le moindre tremblement, même amical, même bienveillant, réveillait des cauchemars d'abandon. Seuls Émilienne et Gabriel pouvaient, en de rares occasions, la tenir tendrement, frôler sa main, lui dire une parole douce. Mais toujours d'une voix très basse, pour la protéger de ce qui couvait en elle, de cet ogre impossible à nommer, échafaudage de douleur et de peine, de fierté et de résignation.

Ce jour-là, il y avait foule. Plus que d'ordinaire.

156

De sa place, Blanche apercevait le clocher de l'église. Cette longue flèche au-dessus de leurs vies la rassurait. Elle rendait la monnaie à une vieille dame qui lui racontait qu'elle l'avait connue petite, quand ses parents étaient encore de ce monde. Blanche eut envie de répondre que non, ses parents n'étaient pas les «pauvres» de l'histoire, que les «pauvres» sont ceux qui restent, que les «pauvres» sont toutes les Émilienne de ce pays et que non, elle ne se rappelait pas le nom de celle qui lui parlait ainsi. Mais elle se tut, rendit trois pièces, et la vieille continua son chemin. Elle rangeait le billet froissé dans une petite caisse quand elle distingua trois mots simples parmi les conversations habituelles :

— Alors te voilà.

Cette voix.

Ce n'était plus celle d'un garçon. Il subsistait dans cet «alors» un peu de ce jeu quotidien pour plaire, pour construire en quelques secondes une illusion de confiance réciproque. Cette voix venait d'un pays lointain, elle avait été modifiée par le travail, la fatigue, par la parole même, c'était une voix habituée à être écoutée, mais Blanche reconnaissait dans cet «alors», dans cette façon de finir la phrase, dans cette attente que cette voix provoquait la douceur de celui qui avait pointé l'arbre du doigt dans sa chambre. Certaine d'être préparée à cette déflagration, elle leva la tête pour planter son regard dans les yeux d'Alexandre, prête à tout, nourrie des violences de l'enfance.

De ces violences il ne fit rien. Alexandre les laissa glisser sur lui et, tandis qu'il affichait un sourire gêné, Blanche, bouleversée par ce visage remodelé par l'âge, détaillait ses traits sans dire un mot. Un homme plus grand, plus maigre aussi que le garçon qu'elle avait connu, la regardait avec une tendresse confondante. Blanche dut tourner la tête. Alexandre portait une chemise et un pantalon sombre, lui que Blanche n'avait jamais vu qu'en tenue décontractée. Il attendait, si calme, si sûr de lui, qu'elle parle enfin.

— C'est plutôt à toi qu'il faut dire ça, « alors te voilà ».

Sa voix était dure.

— C'est vrai, admit Alexandre, souriant de plus belle.

Derrière lui, deux personnes patientaient. Blanche lui adressa un regard mauvais et remplit, mécaniquement, les boîtes d'œufs. Alexandre, bien droit, une main sur la table et l'autre dans la poche arrière de son pantalon, jetait des coups d'œil tantôt sur Blanche, tantôt sur les clients à qui il lançait un « vous ne regretterez pas votre choix ». Lorsqu'ils quittèrent le stand, elle lui fit signe d'approcher, comme pour lui confier un secret.

— Pas besoin de faire ça, souffla-t-elle, menaçante.

— Quoi donc ?

Exaspérée, elle désigna les clients de l'autre côté de la rue.

— Ce que tu viens de dire, là. Je m'en sors très bien. On ne t'a pas attendu.

Alexandre recula d'un pas.

— Oui, je vois ça. Félicitations pour le Paradis.

— Tu pensais qu'on ne s'en sortirait pas ?

Il détourna la tête et, d'une voix presque adolescente, dit :

— Je n'ai jamais douté de toi. Travaille bien, Blanche.

Il lui jeta un petit au revoir de la main et disparut dans la foule qui s'amassait devant l'église. Deux clients arrivèrent au même moment ; Blanche les laissa devant la cage des poules, se retourna et alla s'appuyer contre l'empilement de caisses. Pliée en deux. Sonnée.

Sécher

Louis essuyait les assiettes creuses qu'Émilienne lui tendait. Faire la vaisselle, sortir les poubelles, épousseter la table, balayer le sol. Ce moment lui plaisait : côte à côte, devant cet évier marqué au coin par des milliers de passages, de repas, de grandes tablées, il se sentait proche d'Émilienne. Cette parenthèse ne durait que quelques minutes mais paraissait des heures, tant il avait l'impression d'être à sa place, en famille. Quand Émilienne faisait ce geste de l'assiette qu'on sort de l'eau, qu'on secoue légèrement entre deux doigts habiles, et qu'on retourne, dans ce mouvement auquel ses vieilles mains habituées se pliaient, Louis recevait toute sa confiance, ne cassant pas cette assiette ni l'équilibre du Paradis.

— Tu l'as revu, toi ? demanda Émilienne.

— Non.

Il s'essuya les mains avec le torchon trempé.

— Attends, prends celui-là, dit-elle en attrapant du bout de ses doigts mouillés un carré propre sur l'étagère.

Émilienne prit une profonde inspiration.

— Tu comptes aller le voir ?

Il n'y avait pas pensé, pas un seul instant. Voir Alexandre, c'était voir Blanche, ce soir-là, le visage déformé par la douleur. Ce souvenir lui était insupportable.

— Non, je n'ai pas prévu d'aller le voir.

Émilienne renifla.

— Sauf si tu me le demandes, ajouta-t-il.

Elle retira la bonde de l'évier, l'eau trouble disparut dans un bruit de gargouillement.

— Je ne te demande rien, Louis.

Il se tenait près d'elle, valet docile. La vaisselle était terminée. Il redevenait l'employé d'Émilienne. Il se dirigea vers la petite porte qui donnait sur l'arrière de la cour, où Émilienne jetait les épluchures, mais elle l'arrêta et lui demanda, d'une voix tremblante :

— Tu crois qu'il est revenu pour elle ?

Le commis voulut poser sa main sur le bras d'Émilienne mais il s'en sentit incapable. Il scruta son visage ; elle avait vieilli. Ses yeux disparaissaient, enfoncés dans les rides qui les mangeaient, rivière jamais rassasiée. Le vert si dur, si beau de ce regard avalé par le temps se transformait en gris, un gris de terre, un gris de jument, un gris qui ternissait tout, amplifiait les petites peurs, les angoisses sans importance.

— Il ne sera pas violent, souffla-t-il, reculant d'un pas vers la porte. J'y veillerai.

Émilienne saisit le torchon trempé, l'étendit sur le bord de l'évier et murmura :

— Ça ne changera rien, elle l'aime.

Frapper

Louis passa le reste de la journée plongé dans ses pensées. Il se sentait au centre d'un labyrinthe dont les chemins se redessinaient. Il avait beau faire plusieurs fois le même trajet, courir d'un événement à l'autre, il s'épuisait à comprendre, concentrant sa mémoire, sa passion sur Blanche, cherchant des stratagèmes pour éloigner Alexandre, pour le chasser. Puis il se souvenait qu'Alexandre, lui aussi, était né ici, que ses parents vivaient là, à quelques kilomètres, et que personne n'avait aucun droit sur la vie de ce garçon. Ainsi il ne pouvait rien dire, rien faire sinon garder un œil sur Blanche. Jamais il n'approcherait une main, ni ne demanderait une caresse.

Alexandre était revenu.

Pendant douze ans, Louis s'était efforcé d'être l'homme du Paradis, réduit à sa discrétion et sa fonction, défini par son utilité. Louis avait une chambre pour lui seul désormais, il ne devait plus faire attention, au bruit, à la lumière, ni fermer la porte quand il se cajolait de la main droite. Et il n'avait plus à attendre avant de disposer de la salle de bains où Gabriel passait un temps fou sous l'eau, «immobile» pensait Louis en tambourinant contre la porte. Gabriel alors ne se frictionnait même pas, il pensait à ces choses auxquelles Louis n'avait pas accès. Maintenant la salle de bains était presque toujours libre, le couloir presque toujours vide, et la chambre immense. À l'autre bout de la maison, Blanche, dans son grand lit où Louis rêvait de la rejoindre, Blanche pensait aux Bas-Champs. Il en était sûr, pendant douze ans elle n'avait jamais parlé de quoi que ce soit d'autre, le domaine, le Sombre-Étang, la petite ceinture de forêt noire, et «les chemins des dames» comme disait Émilienne pour parler des ruisseaux asséchés qui joignaient les fermes entre elles. Blanche calculait le prix de l'hectare dans dix ans, elle s'informait, disait-elle, sur les nouvelles machines à la vente, pour la traite, la moisson, la gestion des stocks. Déjà, ailleurs, on s'armait contre la concurrence, d'une cruauté sans pareille, moderne, dévorante, indifférente; la concurrence sonnait ses cloches dans les campagnes, aux informations on évoquait la détresse des agriculteurs, on parlait des suicides, des impayés, de la solitude affreuse. Dans son fauteuil, Émilienne marmonnait «moi je ne verrai pas tout ça, mais vous...», et Blanche y pensait. Elle avait ouvert un autre compte bancaire, où elle épargnait de quoi emprunter davantage, dans quelques années. Elle voulait rénover une partie des dépendances à côté de la grange, agrandir la fosse à cochons. Louis ne donnait pas son avis, on ne le lui demandait pas.

Depuis le retour d'Alexandre, Blanche ne parlait plus. Peut-être continuait-elle à rêver. Louis sentait peser sur elle le poids d'Alexandre, mais prononcer son nom l'aurait rendu présent – la plaie était ouverte, elle palpitait dans la mémoire de Blanche et la jeune femme prendrait seule la décision de la refermer, une bonne fois pour toutes. Louis ne pouvait qu'être là, vigie parmi les ombres.

En fin d'après-midi, épuisé par ses ruminations, il se rendit au Marché, à pied. Aurore servait. Il lui adressa un bonjour discret et elle s'approcha, lui effleurant l'épaule, d'un geste amical, puis lui indiqua une table. Le cuir de la banquette lui fit l'effet d'un berceau, il dut lutter pour ne pas s'endormir. Sans qu'il eût besoin de desserrer les lèvres, Aurore lui apporta une pinte de bière qu'il but de moitié, assoiffé. Cette saveur âpre le revigora. De nouveau, il s'imagina ce que Blanche vivait, comment elle s'endormait le soir. Est-ce qu'elle pleurait tous les jours, est-ce qu'elle aussi se caressait pour attirer le sommeil ? Louis se pencha sur sa table, comme l'enfant au fond d'une classe, posa sa tête au creux de ses bras et ferma les yeux. De l'extérieur on aurait cru qu'il pleurait, mais il entrait simplement en lui-même, à la recherche de Blanche.

Une conversation de comptoir entre trois hommes le tira de sa rêverie. Deux d'entre eux parlaient très fort. La journée était terminée, ils se sentaient bien et désiraient que tout le monde le sache. Ils commandèrent des bières, «beaucoup de bières» dit le plus âgé des trois, et celui qu'on entendait peu siffla: «C'est pour moi.» Un roi payait sa tournée. Curieux, Louis jeta les yeux sur cet intrus, et reconnut Alexandre.

Il se décala légèrement sur la gauche, contre le mur. Les hommes ne le voyaient pas. Louis scrutait le trio. Ils restaient debout contre le bar, celui qui avait commandé remercia Alexandre, lui donnant une grande tape dans le dos, et Louis vit le garçon hausser les épaules. Une bière, ou deux, ou trois même, ne représentaient rien pour lui. Il avait gagné de l'argent, il pouvait se permettre de jouer les seigneurs, en haussant les épaules.

Les deux autres l'attrapaient par la nuque, hurlaient «de retour au bercail, le petit Alexandre?», et Alexandre répondait «je ne suis plus si petit, et j'ai des idées». Alors, ils s'esclaffaient, répétant «des idées, toujours des idées!». Alexandre n'attendait pas qu'ils terminent leur verre pour en commander d'autres et Louis, sur la banquette, le regardait faire. Au bout d'un moment, le premier donna trois coups sur le bar, serra la main des deux autres, prétextant «que madame attendait à la maison». Lorsqu'ils se retrouvèrent à deux, Alexandre tira un tabouret et y prit place sans s'y asseoir tout à fait, y posant une fesse. Un silence s'installa entre eux, puis celui qui riait si fort au début cracha :

— Les bonnes femmes, alors…

Louis tendit l'oreille.

Alexandre regardait les rangées de bouteilles derrière le bar comme s'il était seul et que son compagnon avait quitté la pièce. Louis choisit ce moment pour se lever, se faufilant entre deux tables. Surpris, les hommes se retournèrent. Lorsqu'il le reconnut, Alexandre parut si peu étonné de sa présence que Louis en fut presque déçu. Il poursuivit vers les toilettes, Alexandre le salua d'un léger signe de tête.

Une fois qu'il se fut frictionné les mains et le visage d'une eau qui sentait le mauvais savon, il ressortit, le teint moins pâle, alla déposer un billet sur sa table et passa derrière les deux derniers clients. Juste avant de sentir l'air frais du dehors, il entendit, très distinctement, Alexandre lancer :

— C'est mieux quand elles sont dociles.

Aurore n'eut pas le temps de lui dire au revoir. Louis se retourna sur le seuil de la grande porte vitrée, flanquée d'affiches et d'annonces. Son corps tremblait.

— Répète ce que tu viens de dire.

Alexandre prit cet air désolé que Louis détestait, ce même air qu'il avait eu, le dernier soir, au Paradis.

— Je ne vois pas de quoi tu parles.

À côté de lui, son compagnon, ivre, souriait à moitié. Il s'apprêtait à répondre mais ne put émettre qu'un rot sonore. Alexandre voulut en rire ; il n'en eut pas le temps ; Louis s'était approché. Alexandre sentit son souffle, l'odeur de bière emplissait ses narines.

— Louis, je t'assure, je ne sais pas de quoi tu par...

Le choc l'étendit sur le comptoir. Le commis l'avait cogné au coin de l'œil, où ça fait mal, où ça casse la vue et les idées. Alexandre, plié en deux, tendit la main au-dessus de sa tête pour se protéger. Alors Louis l'attrapa de nouveau, par le cou, à la gorge, et écrasa son poing sur son nez, d'où jaillit un filet de sang clair. Alexandre criait, son compagnon reculait dans le fond du bar, bégayant, tandis qu'Aurore, derrière le comptoir, attendait que ça se termine, blasée.

À genoux, Alexandre tenait son nez entre ses mains. Sa chemise, tachée de morve rouge et de sueur, marquait ses côtes et son torse. Au-dessus de lui, Louis bougeait comme un boxeur, sifflant «allez, lève-toi, lève-toi». Mais Alexandre ne bougea pas, et quand Louis lui décocha un formidable coup de pied dans l'estomac, il se coucha, vaincu, et perdit connaissance.

Aider

Alexandre tenait à peine sur ses jambes et sentait son visage palpiter. Il avançait dans le couloir
du premier étage, le bras de Blanche autour de
son cou. Derrière l'odeur âcre de transpiration,
elle retrouvait son parfum, celui de sa peau. De
l'autre côté, Aurore le soutenait, calant sa main
sur son épaule. Le jeune homme gémissait. La
douleur le lançait, une armée avait décoché sur
lui des flèches longues et minuscules.

Aurore ouvrit la porte de la chambre et les deux
femmes, avec précaution, assirent Alexandre.
Sa bouche se tordit quand Blanche inspecta ses
blessures. Louis avait cogné fort. Du visage si
juvénile ne restait qu'un nez énorme, boursouflé,
deux paupières impossibles à lever et des yeux
larmoyants, où Blanche lisait toute la surprise,
toute la reconnaissance d'Alexandre. La jeune
femme courut à la salle de bains, farfouilla dans la
petite caisse sous l'évier, en sortit des compresses,

une fiole d'alcool à 90 degrés, un pulvérisateur qu'elle remplit d'eau glacée. Quand elle revint, il somnolait, tenu droit dans les bras d'Aurore, à moitié conscient. Blanche lui envoya trois jets dans la figure, appuya la compresse sur son nez. Il émit un râle.

— Tu es aussi chochotte qu'à l'époque, murmura-t-elle en jetant son pansement de fortune.

Alexandre tenta un sourire ; ne fût-ce que bouger les lèvres amplifiait sa douleur. Une seconde fois, Blanche pulvérisa de l'eau fraîche sur son visage.

— Tu vas avoir une sale trogne pendant au moins dix jours ! dit-elle fièrement.

Aurore étouffa un rire. Il se laissa tomber sur le matelas, ramena ses jambes vers lui. Blanche scrutait la moindre parcelle de son visage et, lorsqu'il essaya de défaire les draps pour s'y glisser, Aurore s'empressa de l'aider, déboutonnant la chemise d'Alexandre, qui s'enfonça dans les oreillers – *les mêmes que le jour du cochon*, pensa Blanche. Avant de refermer doucement la porte, elle hésita un moment, saisie par l'envie de le regarder, encore, dans ce lit qu'ils avaient partagé.

— Qu'est-ce qu'il fait ici ? rugit Louis du bas de l'escalier.

Aurore passa devant le commis et disparut dans la cuisine. Indifférente, Blanche descendit les marches, et lorsqu'elle voulut sortir, Louis se mit entre la porte et elle. La colère déformait les traits de son visage, ses narines gonflaient. Blanche planta ses yeux dans les siens.

— Tu veux peut-être le ramener chez lui, à ses parents, dans cet état ? Ou qu'on le couche dans ta chambre ?

— N'importe quoi !

— Il fallait y penser avant, dit-elle d'une voix ferme.

La voix d'Émilienne. Blanche lui ressemblait tellement... Il s'assit au bas des marches.

— C'était pour toi, souffla-t-il.

— Arrête.

Il leva les yeux et vit Blanche au-dessus de lui, les lèvres pincées.

— Il a dit une chose affreuse.

— Je ne veux pas le savoir, fit-elle en se retournant vers la porte, dont elle saisit la poignée vivement.

— Il a dit qu'il préférait les femmes dociles, que c'était plus simple avec elles.

Blanche laissa échapper un hoquet de surprise. Aurore sortit de la salle à manger, trouvant Louis assis devant la porte ouverte. Elle voulut dire quelque chose mais il lui fit signe de s'en aller.

Lorsqu'elle eut disparu à son tour, il hésita

quelques secondes et quitta la maison. Il traversa la cour, hélant Aurore :

— Je vais dormir chez Gabriel.

Puis ils partirent ensemble sans rien dire, dans la nuit.

Vieillir

Alexandre était attablé devant le journal de la veille. La nuit avait été longue ; la figure de Blanche, marquée par la fatigue, transpirait de colère envers Louis. Les plaies au visage meurtri d'Alexandre ne suintaient plus. Il peinait à ouvrir l'œil gauche et se tenait de guingois, feuilletant le journal, tordu sur lui-même, une tasse de café chaud fumant devant lui, posée sur un torchon plié en quatre.

— J'ai fait du café.

Une autre tasse pleine attendait Blanche, couverte d'une soucoupe.

— Pour garder chaud, glissa Alexandre.

Blanche soupira. Elle avait envie de ce café mais pas préparé par Alexandre, chez elle, à l'endroit où ils s'étaient quittés.

— Où est Louis ?

La voix de Blanche grinça.

— Il n'a pas dormi ici.

Elle haussa les épaules.

— Émilienne est aux poules ? demanda-t-elle en s'approchant de la fenêtre.

La cour bruissait sous la brise matinale. Une belle journée commençait.

— Je ne l'ai pas vue, répondit Alexandre.

Blanche fit volte-face.

— Quoi ?

— Je ne l'ai pas vue ce matin, elle doit dormir.

Elle jeta un œil sur l'horloge au-dessus de l'évier. Huit heures et quart. Émilienne ne se levait jamais après sept heures.

Elle fonça dans le vestibule et monta les marches quatre à quatre, puis ouvrit la porte de la chambre d'Émilienne, telle une furie. Au pied du lit, sa grand-mère, une main sur l'estomac, l'autre agrippée aux draps, ruisselait. Une pâleur atroce avait noyé la couleur de sa bouche, de ses yeux, de ses joues.

— Tu peux te lever ?

Émilienne hocha la tête, très lentement.

— Le ventre ?

Nouveau signe de tête.

— Ne bouge pas, je vais appeler un médecin.

Elle pivota et manqua de se cogner contre Alexandre.

— Il faut l'emmener, souffla-t-il. Il faut l'emmener tout de suite, directement à l'hôpital.

Blanche hésita.

178

— Regarde-la, si tu attends qu'arrive le médecin de garde il te dira la même chose. On aura perdu du temps. Tu as une voiture ?

— Elle est garée un peu plus bas.

— Je connais quelqu'un à l'hôpital, en ville. Ils s'occuperont d'elle en priorité, tu as ma parole.

Blanche ne pouvait se décider. Émilienne souffrait le martyre, sans desserrer les lèvres.

— Qui va s'occuper des bêtes ?

Alexandre leva les yeux au ciel.

— Louis va revenir. Il peut rester une journée seul.

Blanche entendit sa grand-mère suffoquer. Elle fit signe à Alexandre de l'aider, à eux deux ils soulevèrent la vieille femme, lui firent descendre l'escalier. Le trajet de sa chambre au vestibule parut durer des heures ; lorsqu'ils furent devant la porte, Blanche sortit en trombe démarrer la voiture et la gara au bas des marches. Ils installèrent Émilienne à l'arrière, les jambes allongées et le dos contre la portière.

— Je prends le volant, décréta Alexandre.

— Tu n'y vois que d'un œil.

— C'est amplement suffisant. Je sais où aller, on gagnera du temps.

Alexandre conduisait vite, avec précision. Blanche, côté passager, jetait des yeux inquiets sur sa grand-mère. Elle tenait son ventre des deux mains, les traits de son visage ramassés autour de sa bouche pincée. *Elle souffre*, se dit Blanche, *elle souffre et je ne peux rien faire.*

— Plus vite !

Le moteur vrombit.

Ils arrivèrent trente minutes plus tard devant l'entrée des urgences. Alexandre sortit le premier, il s'engouffra entre les portes coulissantes et Blanche l'entendit crier « nous avons besoin d'aide ! ». Deux brancardiers apparurent à sa gauche, grands et solides. Ils transportèrent Émilienne à l'intérieur. Alexandre marchait derrière Blanche, dans le couloir où patientaient d'autres malades. Une infirmière leur demanda s'ils voulaient attendre mais Alexandre exigea de voir le docteur Neyrie. À ce nom, l'infirmière eut un léger haussement de sourcils ; elle invita Blanche et Alexandre à pénétrer dans une petite pièce attenante. Blanche s'écroula sur une chaise.

— Elle va s'en sortir, dit Alexandre d'une voix très douce.

— Évidemment qu'elle va s'en sortir.

Il s'approcha de Blanche. Elle eut un mouvement de recul.

— Je connais le docteur Neyrie, mon patron a vendu sa maison quand il a divorcé, c'est moi qui me suis occupé de tout.

— De sa femme, aussi ?

Alexandre devint blême. Il recula dans un coin

180

de la pièce. Elle ne le regardait pas, elle se fichait de sa présence.

Au bout d'un long moment, quelqu'un entra. Blanche se leva d'un coup. Alexandre, dans son coin, avança d'un pas prudent.

— Mademoiselle Émard?

Blanche fit oui de la tête.

— C'est une occlusion intestinale. Vous avez bien fait de venir le plus vite possible. Nous devons la garder quelques jours.

Puis il se tourna et un grand sourire illumina son visage, pourtant si sérieux dans son diagnostic:

— Alexandre! Quel plaisir! Comment vas-tu? Mais qu'est-ce que tu as au visage?!

Ils se serrèrent la main avec chaleur. Alexandre bafouilla:

— Ça va, ne t'inquiète pas pour moi.

Le médecin le coupa, lui tapota son épaule et dit:

— Tu as bien fait.

Puis il se tourna vers Blanche.

— Il faut qu'elle se repose. On la garde, au moins cette semaine. Mais il faudra du temps… À son âge, vous savez ce que c'est.

Il quitta la petite salle, adressant un dernier signe de la main à Alexandre. Pour Blanche, tout se mélangeait: le visage d'Émilienne, son silence, Alexandre au volant de la voiture, si sûr de lui, si angoissé aussi, et ce médecin qui lui parlait comme à son propre fils. Blanche avait l'impression d'être passée dans une autre dimension, elle se sentait noyée de signes, d'images, d'avertissements que sa pensée avait du mal à trier.

— Repose-toi, Blanche.

La voix d'Alexandre lui parut lointaine.

— Blanche ?

Il avait posé sa main sur son bras pour la tirer de ses questions : jamais ils n'avaient été aussi proches depuis son retour. De près, son visage tuméfié était vraiment affreux.

— Que tu es laid, dit-elle.

Alexandre esquissa un sourire.

— C'est très à la mode, les combats de coqs.

Blanche se leva difficilement, disparut dans le couloir sans claquer la porte derrière elle, et dans ce geste tout en retenue, Alexandre décela un début, même infime, de confiance retrouvée.

Soigner

La maison était vide.

Pourtant, le parquet craquait, le toit murmurait, les poutres du grenier gémissaient. On entendait cavaler un loir. Les aboiements réguliers du chien, devant la grange, perçaient les murs épais. Quand le vent soufflait fort, les fenêtres tremblaient comme un squelette. Le petit torchon plié en quatre sur la table, la tasse laissée dessus, le café laissé dedans, le journal, ouvert à la page des annonces immobilières, une autre tasse, sur la table, avec le fond marqué d'un cercle noir. Le banc de travers. La cafetière à demi pleine. Louis renifla chaque objet, inspecta la cuisine et la salle à manger à la recherche d'une preuve, d'un indice.

Il s'était réveillé tôt, sur le canapé de Gabriel. Dans la pénombre, il avait entendu la respiration d'Aurore, plus claire, plus apaisée que celle du frère de Blanche. Un court instant, il avait voulu s'approcher d'eux, les regarder, si paisiblement endormis. Puis il avait fait demi-tour, poussé la porte sans un bruit et traversé la route, voûté, son grand corps de vieux garçon de quarante ans dans la lumière de l'aube, animal de passage au milieu d'un champ de fleurs.

Son premier réflexe fut de monter à l'étage. Dans la chambre de Blanche, le lit était défait en un seul côté. Une vague de soulagement parcourut Louis. Ils n'avaient pas dormi ensemble, Blanche n'avait pas rejoint Alexandre dans la nuit ; elle s'était sans doute réfugiée dans la pièce à deux lits où dormait Louis. Il jeta un coup d'œil rapide : manifestement, Blanche s'était levée tard. Il sentait l'odeur de son parfum du matin, l'odeur de la peau qui a macéré des heures dans le linge, cette odeur que l'on supporte seulement quand on aime.

Il n'avait jamais connu la maison vide. Pas un mot sur la table, pas un signe de vie, simplement ce carré de tissu et ce café dessus. Alexandre avait pris son petit déjeuner ici, il avait lu son journal ; Blanche était restée debout, peut-être contre le mur où Émilienne l'avait retenue ce jour-là. Ils avaient bavardé ensemble, en vieux couple.

Un couple.

Cette idée le déchirait. Il les voyait, tous les deux, dans cette cuisine où Louis avait rejeté sa mère pour Émilienne, il les voyait là, tranquillement installés. Il serra le torchon dans son poing. Par la fenêtre, il aperçut les poules massées devant les marches du perron, caquetant plus que d'ordinaire.

Où était Émilienne ?

Louis bondit hors de la salle à manger. La chambre de la grand-mère était vide, elle aussi, mais le lit n'était pas fait, et une partie de la couverture, tirée sur le côté, gisait par terre. Une trace de sueur, large, marquait le matelas, et sur la table de chevet les lunettes d'Émilienne, bien rangées sur un livre à côté d'un tube de médicaments.

Il tourna dans la chambre avec une fureur de bête. Où étaient-ils, tous ? Pourquoi personne ne lui avait rien dit ? Pourquoi fallait-il qu'il se retrouve, seul, ici ? Une vieille sensation d'enfance l'envahit, de ces soirs où Louis restait dehors, sur le seuil, échappant aux coups de son père. Seul. Alors il s'avança jusqu'à la fenêtre, l'ouvrit, inspira l'air imprégné de foin, de terre, de chiure.

Il ne faisait pas partie de la famille. Il était employé, ici. On ne lui avait rien dit, parce qu'on attendait de lui ce qu'on attendait d'un commis de ferme. Nourrir les poules. Nettoyer la cour. Inspecter la grange. Trier les œufs. Traire les vaches. Il ne faisait pas partie de la famille, il faisait partie de la ferme. Louis avait oublié ce que c'était d'être du paysage sans être de la photo.

Avant de redescendre, il défit le lit d'Émilienne, tira les draps par terre. *Au moins, qu'elle ne revienne pas dormir dans un lit sale.*

La voiture débola du chemin de terre à toute vitesse au moment où il bifurquait, à pied, de l'autre côté, dans la pente aux cochons. Le bruit des pneus sur la terre battue le surprit. Louis rebroussa chemin, la tête rentrée dans les épaules, les poings prêts à frapper. Lorsque la portière s'ouvrit, il s'attendait à voir Alexandre se hisser hors de l'auto, mais ce fut Blanche qui mit pied au sol. Essoufflée. Leurs regards se croisèrent, pleins de reproches indicibles. Louis s'approcha. Elle portait la veste d'Alexandre.

— Eh bien, les choses vont vite…

— Tais-toi.

La voix de Blanche était basse, profonde, presque masculine. La voix d'Émilienne quand les choses tournaient mal.

— Émilienne est à l'hôpital, dit-elle.

— Pourquoi tu ne m'as pas prévenu ?

— J'ai téléphoné mais tu ne répondais pas, mentit Blanche.

Louis se dit qu'il devait déjà être sorti quand elle avait tenté de le prévenir.

— J'y vais, conclut-il en s'approchant. Donne-moi les clés.

Elle recula.

186

— Alexandre est avec elle.

La douleur, vive, fendit son cœur comme on fend un arbre.

— Pourquoi lui ? gémit-il.

Il ne réfléchissait plus. L'image de Louis, dans la chambre d'Étienne et Marianne, le visage ravagé par les coups de son père, revint à la mémoire de Blanche. Et sur cette figure, celle d'Alexandre, dans cette même chambre, à cette même heure du jour.

— Il connaissait le médecin, Louis.

Elle avait prononcé son prénom distinctement, poussant chaque mot en lui pour qu'il comprenne. Alexandre connaissait le médecin, Émilienne a été soignée plus vite.

Ses mains tremblaient. Elles l'embarrassaient, ces mains habituées au cuir des vaches, au poil des chiens, à la rugosité des arbres. Il ne savait pas quoi en faire alors il grattait des plaies imaginaires.

— Tu aurais pu laisser un mot, je me suis inquiété.

Blanche sentit dans sa voix la colère s'évanouir. Louis aimait Émilienne autant qu'elle. Elle imagina ce qu'il avait ressenti en rentrant, ne trouvant personne dans la maison ni dehors. Elle comprit à quel point elle aurait été en colère à sa place, depuis tout ce temps qu'il prenait soin de cette famille, de ce Paradis, depuis tout ce temps qu'on lui rappelait, chaque jour, qu'il n'en ferait jamais partie.

—Je n'ai pas eu le temps… Tu l'aurais vue, quand je l'ai trouvée…

Puis Blanche ajouta :

—Je me demandais comment tu aurais agi, à ma place.

Louis soupira. Il pivota et reprit le chemin de la fosse, faisant mine d'ignorer tout ce qui venait d'être dit.

Elle le vit disparaître dans le talus, sa grande carcasse oscillait entre les arbres.

Revenir

Pendant une semaine, Blanche et Gabriel se relayèrent au chevet d'Émilienne.

Elle était sortie d'affaire, mais faible. La première fois qu'ils l'avaient vue après son arrivée à l'hôpital, ils avaient été frappés par la pâleur de son visage, par son corps retenu dans ce lit où elle gisait, abrutie par les cachets. Debout devant leur grand-mère, ils bougeaient à peine. Émilienne les devinait, entre ses paupières closes. Blanche avait passé cette première journée dans un fauteuil, près d'elle. Quand elle était arrivée, Alexandre l'attendait au seuil de la chambre. « Je n'ai pas osé entrer, avait-il bafouillé, mais les infirmières disent qu'elle va bien, elle est très fatiguée, mais elle va bien », puis il s'était retiré comme un valet, en silence.

Aurore accompagnait Gabriel deux fois par jour et patientait dans le hall. Chaque matin, elle apercevait Alexandre. Assis dans un fauteuil, un magazine à la main, il attendait Blanche, très bien habillé, très propre, à l'aise, sûr de lui et en même temps très discret. Quand c'était au tour de Blanche, il lui disait deux mots puis quittait les lieux.

Gabriel arrivait le premier et croisait Alexandre. Au début, il s'était contenté de lui adresser un signe de la main. Après tout, Alexandre connaissait le médecin, il avait eu l'idée de venir directement, de ne pas faire attendre Émilienne. Gabriel lui devait le repos de sa grand-mère et le soulagement de sa sœur.

Le visage d'Alexandre portait encore les traces de sa lutte avec Louis. Gabriel se disait qu'il l'avait mérité, bien mérité ; d'ailleurs Alexandre ne s'en plaignait pas, il jouait le jeu, avec son œil jaune et ses pommettes arc-en-ciel. Pendant une semaine, ils se succédèrent, parlant peu, défilant sous les yeux des aides-soignants. Le lundi suivant, Émilienne fut ramenée chez elle en ambulance. Ce matin-là, Alexandre manquait dans le hall. Blanche, malgré elle, le chercha du regard, inquiète, puis, se ravisant, elle pensa qu'il savait que la grand-mère quittait l'hôpital.

Arrivés au Paradis, deux infirmiers voulurent aider Émilienne à monter à l'étage, ce qu'elle refusa, prétextant qu'elle était tout à fait en état de mourir dans sa cuisine. Louis, sous l'arbre, les regardait la tenir ; elle était de chiffes, de papier froissé. Il lisait dans leurs yeux une forme d'admiration pour cette vieille dame, mais ils n'imaginaient pas une seconde à quel point elle avait besoin de cette terre autant que d'eau ou d'oxygène. Chaque heure passée à l'hôpital, loin du Paradis, l'affaiblissait. On la laissa s'asseoir dans la cuisine. Un des infirmiers déplia une ordonnance qu'il lissa du plat de la main, répétant «respectez bien les prescriptions». Émilienne acquiesçait, agacée, oui elle prendrait ses médicaments, oui elle ferait bien attention, oui elle suivrait son régime alimentaire à la lettre, et quand, pour la dixième fois, il lui dit de «prendre soin d'elle», elle murmura :

— Si ça ne vous dérange pas, partez, maintenant. J'ai compris. Je suis vieille, pas sourde.

Quand l'ambulance avait démarré, Louis s'était déplié de sous son arbre. Ses grands doigts enfoncés dans les poches de son bleu de travail usaient le tissu jusqu'à le trouer. Il n'avait pas vu Émilienne depuis huit jours. En entrant dans la salle à manger où Blanche dressait l'inventaire des restes de nourriture pour le dîner, il se sentit petit garçon. Il rasa le mur jusqu'à la fenêtre, puis souffla :

— Bonjour, Émilienne.

La grand-mère hocha la tête. Louis ne l'avait jamais vue aussi triste, aussi faible.

— Alors, on prend des vacances sans me prévenir ?

Attendre

Blanche, Louis, Gabriel et Aurore prenaient soin d'Émilienne. Aurore préparait des assiettées de légumes, de riz, de pommes de terre, étiquetait des compotes qu'elle tenait au frais, selon les indications du médecin. Blanche, chaque soir, remplissait le pilulier : trois cachets trois fois par jour. Elle voulait qu'Émilienne ne souffre pas, qu'elle retrouve sa force. L'opération l'avait affaiblie : les jours suivants elle fut incapable de monter seule les marches jusqu'à sa chambre. Chaque matin, un pas de plus dans la cuisine, le vestibule, sur le perron, dans la cour, un pas de plus était une victoire, et Blanche voyait comment Louis, attentif à Émilienne, à l'expression de son visage où l'épuisement affleurait, s'y prenait pour l'encourager. Il la soutenait, appuyait son poids de vieille dame sur son bras de vieux garçon, ils parlaient ensemble, de ce qu'il avait accompli dans la journée, des grues de retour devant l'étang. Louis ramenait Émilienne à l'endroit où elle était forte, solide ; il l'obligeait, calmement, à atteindre la porte et sa mémoire, bravant la fatigue, la vieillesse, le choc des huit jours dans cette chambre d'hôpital. Voyant Émilienne avancer dans cette cour immense où sa cadence paraissait si lente, Blanche se demandait si l'immobilité de cette semaine hors du Paradis ne l'avait pas privée de ses forces pour toujours. En sortant du domaine, le poids de la vieillesse lui était tombé dessus. Le temps avait sur elle l'effet d'une eau glacée sur un linge délicat : en vieillissant, Émilienne se ratatinait. Bientôt, malgré ce qu'elle avait apporté en ce lieu, bientôt elle n'appartiendrait plus à cette terre. Ou plutôt elle lui appartiendrait complètement, elle serait mangée par elle.

Blanche sentait la fin arriver. Émilienne semblait atrocement vulnérable. Sa petite-fille ne l'avait jamais connue dans un tel état. Et Louis s'occupait d'elle comme si sa propre vie en dépendait. Parfois, Blanche imaginait qu'Émilienne n'avait pas besoin d'elle, ni de Gabriel. Que cet homme lui suffisait, ce protecteur inattendu, sur qui elle avait soufflé si longtemps pour raviver sa flamme.

Pendant trois semaines, Louis et Blanche ne quittèrent pas le Paradis. On réparait Émilienne ; Gabriel s'occupait du marché avec Aurore. Ces deux-là vendaient, une fois par semaine, devant leurs tables et leurs tréteaux, amoureux comme des oiseaux de paradis, sous les yeux ahuris, sceptiques et parfois attendris des habitués. À vrai dire, Gabriel n'avait jamais été aussi vivant qu'en ces quelques jours, ces trois jeudis consécutifs où il régna, enfin, un petit peu, sur un minuscule morceau du Paradis, avec à ses côtés sa reine, qu'il aimait autant que Blanche aimait la terre et Louis Émilienne : inconditionnellement.

Ils s'organisèrent ainsi. Les jours passaient, Émilienne retrouvait lentement l'usage de ses membres. Et plus elle paraissait hors de danger, plus les pensées de Blanche vagabondaient hors du domaine. Depuis cet avant-dernier jour à l'hôpital, elle n'avait pas revu Alexandre. Chaque matin, dans le hall, il s'était tenu là, assis. Ils échangeaient deux mots sur la météo, l'état d'Émilienne. Puis il quittait le bâtiment, la démarche calme, et elle le regardait partir, chaque matin, dans la même direction.

Mais depuis le retour d'Émilienne au Paradis, plus rien. Pas un appel, pas un mot. Blanche avait pensé qu'il craignait Louis, qu'il préférait faire un pas de côté en attendant qu'Émilienne reprenne de la vigueur. Elle avait tenté d'apaiser son inquiétude en se répétant qu'il avait « d'autres choses à faire », mais au bout de trois semaines sans nouvelles, elle se sentait vide de raison, débordante d'angoisse. Elle attendait, comme la femme d'un marin, un signe d'Alexandre. N'importe quoi, un indice.

Le quatrième jeudi du marché, n'y tenant plus, elle voulut suppléer Gabriel et Aurore, qui rechignèrent cette fois à lui céder la place. Blanche voulait «prendre l'air». Ils soutinrent son regard, avec la certitude qu'elle mentait. Ils cédèrent pourtant, proposant leur aide, mais elle n'en voulait pas. Blanche désirait reprendre les rênes du Paradis et elle comptait le faire seule, secondée par Louis, chacun son poste, chacun sa mission, chacun ses animaux, chacun ses secrets. Chacun ses gestes. Et chacun sa peur de n'être que de passage, d'abîmer ce qui est déjà fragile, de gâcher la beauté. Chacun ses nuits de colère, chacun ses réveils à l'aube, et chacun pour soi, tous pour Émilienne, jusqu'à la fin.

En choisissant de vivre au-dehors, Gabriel et Aurore s'éloignaient des rivages du Paradis, naviguant sur la même eau que Blanche sans rencontrer les mêmes écueils. Ils fuyaient, main dans la main, à quelques centaines de mètres de la maison d'Émilienne.

Se retrouver

La chaleur cuisait les œufs; Blanche les couvrit d'un torchon humide. La sueur perlait sur son front, bouclait des mèches de cheveux derrière ses oreilles, qu'elle avait fines, presque osseuses. Ce premier jeudi du mois de mai débordait de vie; une foule de gens, touristes et clients fidèles, marchands et paysans, enfants et vieillards, se pressait devant les étals. On négociait trois pour le prix de deux, on se serrait la main sans se connaître, on s'embrassait sans s'aimer, à l'ombre du clocher de l'église qui sonnait chaque demi-heure. Les marchands jetaient un œil rapide sur les comptes, le temps avançait et l'argent rentrait. Le printemps succombait vite, étouffé dans la moiteur d'un été qui s'annonçait caniculaire.

Blanche n'était pas réapparue en public depuis l'opération d'Émilienne. On vint la voir, la serrer contre soi, on lui demanda des nouvelles, toujours plus de détails, de suppositions, on lui acheta plus d'œufs que d'habitude, mentionnant Gabriel et sa « jolie… ». Personne ne se souvenait de son prénom, Blanche disait en soupirant « Aurore, elle s'appelle Aurore », mais les autres continuaient, dans la conversation, à l'appeler « la jolie ». En fin de matinée, elle eut presque épuisé ses réserves ; les ventes s'étaient enchaînées, les discussions aussi, et dans le flot ininterrompu de passants, de clients, de têtes connues, aucune trace d'Alexandre.

Les cloches sonnaient midi et demi quand elle le vit, à l'entrée du village, sur le bout de la place du Marché, fermée d'arbres bas, plantés en rangées le long d'une route qui tortillait entre les maisons. Elle cria « Alexandre ! » mais il n'entendit pas. Alors, dans un formidable élan, Blanche passa sous la table, réapparut dans la travée pleine à craquer de familles qui s'agitaient devant chaque fruit ou légume. Elle bouscula trois vieilles dames en slalomant entre les corps abrutis de chaleur, lançant sa main en l'air pour qu'Alexandre, dos à la place, sur le point de traverser la rue, la remarque. Quand elle eut passé le dernier stand et la terrasse du Marché, où Aurore la vit manquer de renverser une table, elle se jeta à travers la pelouse, aussi essoufflée qu'en un jour de fête, et griffa la rue en courant derrière Alexandre. Il marchait le long du trottoir, les mains dans les poches, vers le bourg où vivaient ses parents.

Il se retourna avant qu'elle ait agrippé son

épaule. Et, devant le spectacle de Blanche en sueur, échevelée, qui tenait le mur d'une main, un large sourire illumina son beau visage.

— Mais qu'est-ce que tu as ? demanda-t-il.

— Je t'ai vu au marché… Je t'ai appelé mais… tu ne m'as pas entendue alors je…

Elle soufflait. L'air entrait dans sa bouche en une pâte épaisse.

— Du calme, Blanche.

Elle se redressa vivement.

— Comment veux-tu que je me calme ? Tu n'as pas donné de nouvelles !

La rage gâchait les traits si fins de son visage. Alexandre tenta de lui saisir la main mais elle se dégagea.

— J'ai cru que tu étais reparti ! À quoi est-ce que tu joues, Alexandre ? Pourquoi tu es venu tous les jours à l'hôpital ? Pourquoi tu me fais ça ?

Elle hurlait. De l'autre côté de la place, sur la terrasse, Aurore, son plateau pendant au bout du bras, les fixait. Alexandre attrapa Blanche par les épaules.

— J'ai pensé que vous auriez besoin de temps.

Blanche ferma les yeux, imperméable aux paroles rassurantes d'Alexandre. Sa poigne était dure. Elle le laissait faire, tremblante, acceptant tout. Avide, même, qu'il la touche.

— Louis ne m'aurait pas permis d'entrer. Tu le sais bien.

Il la lâcha. Prit soudain un air d'enfant, baissa les yeux, soumis. Et face à ce visage tout à coup devenu juvénile, la colère de Blanche s'évanouit.

— Louis décide de tout au Paradis.

— Je suis désolée, souffla-t-elle. Je n'aurais pas dû crier.

Elle avança doucement. Il porta la main en coupe sur ses yeux pour se protéger du soleil mais Blanche le devança ; elle se faufila entre la lumière et son torse, lui offrit ses lèvres dures, impatientes et, sur les siennes, muettes.

Aimer encore

Un grelot du passé tinta en elle.

Pendant quelques secondes, son oreille fut emplie de ce son tordu qui venait de loin. Elle l'entendit, ce grelot furieux que le moindre battement de cœur bousculait. Elle portait ce drôle d'enfant à une voix, cet instrument étrange, ce bégaiement aigu, insupportable s'il durait trop, résonnant du crâne à l'orteil.

Le grelot tinta une dernière fois, elle le laissa prendre toute la place pour qu'il s'épuise. Lorsque le son s'évanouit, de nouveau les bruits du monde extérieur lui parvinrent – elle n'aurait su dire qui parlait, qui criait, quel enfant courait entre les voitures garées sur la place et il lui fallut quelques secondes supplémentaires pour se remplir de ces sons familiers, auxquels s'ajoutait le souffle d'Alexandre, dans son cou, aux yeux de tous.

— Viens demain au Paradis, souffla-t-elle.

Alexandre ne répondit pas. Sa bouche était

sur son épaule, ses mains dans son dos, il osait à peine la serrer contre lui, il la caressait très doucement, de peur qu'elle ne s'effrite entre ses doigts. Blanche sentait une veine battre dans la gorge du jeune homme ; tout à coup il n'était plus si sûr de lui, son calme l'avait quitté.

Depuis trois semaines, elle ne pensait qu'à ça. Elle s'endormait dans le souvenir de ce premier baiser, au lycée, et de cette première fois, dans la chambre, pendant qu'on égorgeait le cochon. Elle s'endormait dans le souvenir de toutes les fois qui avaient suivi ; elle s'était rendu compte que combattre ces souvenirs les rendait plus précis, chaque détail la frappait. Alexandre était si beau, si tendre, son visage, même abîmé par Louis, semblait de cire tiède, parfaitement lisse, ses émotions passaient dessus, légères comme une pluie fine. Qu'elle aimait cette figure, ces fossettes indévissables.

Quand il était venu au marché, ce premier jour, à sa rencontre, elle avait lu la joie dans les yeux d'Alexandre, et son mépris, sa rage, sa colère d'adolescente encore enchaînés à son corps de jeune femme n'y pouvaient rien : elle lisait dans ce regard la tendresse qu'il lui portait. Il ne demandait pas pardon, il ne présentait pas d'excuses, il était là, revenu de sa ville où il avait conquis en quelques années le cœur des autres. Ce médecin par exemple ; ce docteur Neyrie lui avait parlé

202

comme à un fils, même dans son inquiétude pour Émilienne, Blanche avait été rassurée par la confiance que cet homme, habitué à la mort, aux blessures, à la parole rapide, efficace, entretenait envers Alexandre. Il était différent, il méritait qu'on lui accorde tout : du temps, des mots et de l'amour. Son amour. Qu'elle avait conservé comme une denrée rare, périssable et fragile.

— Tu viendras au Paradis, demain ? insista-t-elle.

Il acquiesça.

Blanche traversa la rue, sentant dans son dos le regard d'Alexandre.

Elle quitta le marché à trois heures. D'ordinaire, elle passait voir Aurore, mais là, elle conduisit jusqu'au Paradis, ne pensant qu'à lui, qu'à son goût, qu'à ses lèvres si délicates, qu'à sa figure fébrile quand elle lui avait reproché son absence des trois dernières semaines. Alexandre était revenu, Louis l'avait frappé furieusement, la raclée de sa vie. Encore maintenant, les mains arrimées au volant, Blanche pensait qu'il avait mérité ces coups, plus que quiconque. Louis s'était acharné sur Alexandre et il avait eu raison. Qu'il paye pour ce chagrin, pour cette douleur que son départ avait causés, pour ce trou où il avait poussé Blanche, au bord duquel elle avait mis tant d'années à se hisser. Louis l'avait frappé, puis la grand-mère était tombée malade, mais Alexandre l'avait sauvée. Oui, c'est ce qu'elle pensait : Alexandre avait sauvé sa grand-mère. Que serait-il arrivé s'ils avaient attendu, dans cette chambre, l'arrivée incertaine d'un médecin ? Et ce docteur, ce Neyrie, l'aurait-il prise en charge aussi vite si Alexandre n'était pas intervenu ?

Blanche songea à ces matins dans ce hall où il attendait, au milieu des larmes, des angoisses, des morts prochaines, des mauvaises annonces. Il attendait Blanche le plus sereinement du monde, comme si rien de tout cela n'atteindrait jamais Émilienne ni sa famille, parfaitement sûr de son coup, de ses décisions. Et Blanche l'avait aimé, pour cela. De nouveau, elle s'était laissé séduire par ces yeux si profonds, ce sourire si doux, ces mots réconfortants. À présent, les paroles d'Alexandre ne creusaient plus en elle des tunnels d'effroi, non ; elles la rassuraient, promettaient que tout irait bien, ils veilleraient sur Émilienne, tout rentrerait dans l'ordre ; il répétait cela chaque matin avant de partir travailler et Blanche l'avait cru, elle s'était accrochée à ses mots durant les trois semaines qui avaient suivi le drame.

Alexandre n'était pas venu, pendant ces trois semaines. Alors elle avait eu le temps de s'abandonner à l'idée qu'il n'oserait plus jamais les quitter, elle et le Paradis. Partir une nouvelle fois aurait fait de lui un monstre, et Blanche réservait ce mot aux veaux qui naissaient avec cinq pattes, aux chats borgnes, à toutes les atrocités du monde qui effleuraient le domaine sans jamais y pénétrer.

Blanche l'aimait.

En garant la voiture dans la grange, à côté du tracteur, elle fut saisie de vertige. Elle souffla quelques secondes, les mains sur le volant, immobile, raide contre le siège qui sentait la sueur. Elle l'aimait.

« Tout rentrera dans l'ordre. »

Dans la cour, Blanche entendit le pas de Louis, un peu lourd mais rapide. Elle s'essuya les yeux, tapota ses joues pour que monte la couleur que son léger malaise avait gommée, et quand elle poussa la portière, le commis tendit sa main pour l'aider à sortir, mais elle balaya son geste.

Y croire

Émilienne ne redeviendrait pas celle qu'elle avait été.

Bien sûr elle tenait debout, n'avait pas perdu de son caractère, mais le matin, elle quittait sa chambre plus tard. Le soir, Blanche entendait les marches grincer ; sa grand-mère râlait dans l'escalier, la distance entre le vestibule et le premier étage lui devenait insurmontable. Devant Louis et Blanche, elle ne se plaignait pas. Mais plus les jours passaient, plus sa petite-fille relevait les indices de sa grande vieillesse. Émilienne mangeait avec lenteur et moins, elle n'avait pas faim. Elle riait peu ; quand Louis racontait sa journée, le coin de sa bouche se soulevait à peine, tentant de s'étirer en un sourire sincère, mais très vite ses lèvres retombaient. Blanche mourait d'envie de saisir chaque coin de cette bouche, de les accrocher à ses joues pour rameuter sa jeunesse – tous ces moments où Gabriel et elle, dans la bassine devant la maison, s'ébrouaient, qu'elle regardait comme si elle les voyait pour la première fois. Rien n'aurait pu, devant ce spectacle de douceur, décrocher la joie de son visage, cette certitude que tout était en ordre et que l'ordre, parfois, était aussi simple que deux gosses dans une bassine avec un chien qui tourne autour d'eux.

À mesure que le temps ravageait le corps et la mémoire d'Émilienne, ses bonheurs intenses la quittaient, un à un, devenus étrangers en son existence. Elle garda bientôt le fauteuil ; chaque geste, chaque pas, chaque mot n'était jamais entrepris sans que cela soit absolument nécessaire. La vie, peu à peu, s'organisa autour de cette table de salle à manger, autour de ce fauteuil près de la fenêtre. Blanche et Louis acceptaient, malgré leurs efforts, qu'elle s'éloigne d'eux.

Un soir, après le marché, Émilienne parut plus fatiguée que jamais. Un silence d'église pesait sur le dîner ; la grand-mère ne mangeait rien, elle grattait le fond de son assiette du bout de son couteau tel un enfant difficile et Louis la regardait, désespéré.

— Alexandre va venir ici, lâcha Blanche.

Émilienne, très lentement, tourna la tête vers elle. Louis cessa de fixer l'assiette de la vieille.

— Il n'en est pas question, gronda-t-il, poussant sa gamelle au centre de la table.

— Je ne te demande pas ton avis.

Il recula sa chaise et se leva, aussi maigre et long qu'un fusil. Émilienne, concentrée sur Blanche, fit comme s'il n'avait pas bougé. Louis ouvrit la porte mais, au lieu de sortir, il la claqua, brutalement, violemment.

— Arrête, Louis, souffla Émilienne. Arrête, tu veux.

Sa voix calma Louis sur-le-champ.

— Pardon, grommela-t-il.

Blanche crut qu'il reviendrait s'asseoir mais il se tint près de la fenêtre, les bras croisés.

— Alors il va venir ici, reprit Émilienne.

— Oui, je crois.

La vieille posa délicatement son couteau à côté de son assiette.

— C'est bien.

Blanche sentit la respiration de Louis tomber de sa bouche comme une pierre.

— Comment peux-tu le laisser revenir ? Après ce qu'il t'a fait.

Blanche prit son visage entre ses mains en coupe. Louis tournait devant la table, prisonnier de sa colère, des deux femmes liguées contre lui. Il détestait Alexandre plus que son père, il haïssait cet homme plus que tout au monde.

— Tu ne peux pas faire ça, Blanche, répéta-t-il.

Cette fois-ci, elle pivota à moitié sur sa chaise.

— Tu peux dormir chez Gabriel, si tu ne supportes pas de le voir.

— Tu ne comprends pas, lâcha-t-il, dans un éclat de voix cassée.

Puis il s'approcha d'Émilienne, l'embrassa rapidement sur le front. Très calme soudain, il posa la main sur la poignée de la porte, qui s'ouvrit dans un grincement formidable, et avant de disparaître dans le vestibule, il murmura :

— Je ne supporterai pas qu'il te fasse du mal une nouvelle fois.

Blanche, poupée mécanique, débarrassa la table et aida sa grand-mère à se mettre debout. Une fois dans l'entrée, devant l'escalier, face à Émilienne, elle lui attrapa les deux mains, et elles montèrent les marches de cette façon.

Elle la guidait sans rien dire, sans la brusquer, et lorsqu'elle quitta la chambre, elle entendit derrière elle le souffle rauque d'Émilienne, qui plongeait tout droit dans ses rêves.

Être heureux

Alexandre vint, le lendemain.

De sa chambre, Blanche n'entendit pas le jeune homme frapper. À deux heures de l'après-midi, la maison, écrasée de chaleur, bruissait de tourterelles et de souris. Les genoux repliés, assise sur son lit aux draps propres, Blanche regardait l'arbre par la fenêtre, la couleur de ses feuilles recroquevillées. Louis n'avait pas déjeuné à la ferme. Son assiette était encore sur la table, « au cas où » avait dit Émilienne, mais Blanche savait qu'elle ne le verrait plus en dehors des heures de travail. Ils se croiseraient aux Bas-Champs, sur la route peut-être, ou chez Gabriel, mais tant qu'il saurait qu'Alexandre avait droit d'entrée au Paradis, il ne dînerait pas à sa table. Blanche et Alexandre auraient la maison pour eux, et par-dessus tout l'approbation d'Émilienne.

En se balançant d'avant en arrière sur le lit, Blanche se sentit arrivée au bout d'une longue piste de terre, piquée de chausse-trappes. Elle avait parcouru ce chemin depuis son enfance jusqu'à cet après-midi d'été, elle s'était fait mal, elle était tombée à plusieurs reprises, mais maintenant qu'elle attendait Alexandre, devant cette fenêtre, Blanche se croyait au terme d'un long périple qui finissait là, dans la clarté des émotions vives. Elle avait atteint cette forme d'accomplissement à laquelle elle n'aurait jamais osé prétendre : elle était heureuse. Tout rentrait dans l'ordre. Émilienne, Alexandre, le Paradis.

L'arrivée d'Alexandre allait tout réorganiser. Elle s'inquiétait de la poussière sur la rampe, de l'odeur d'humidité, de la blancheur des draps. Il allait venir la serrer, l'embrasser. Toute la vie qu'elle espérait attendait avec elle.

Elle descendit. Un mince filet d'air passait par la porte entrouverte ; la lumière du jour, étincelante, marquait le sol en une flèche qui s'écrasait contre le mur. Surprise, Blanche avança et s'immobilisa sur le pas de la salle à manger. Alexandre était là, assis à côté d'Émilienne. Blanche ne comprit pas de quoi il parlait mais sa grand-mère hochait la tête en répétant « c'est bien, c'est bien ». Elle lui lançait des regards rapides. Le jeune homme se tenait à distance raisonnable de la vieille dame, assez proche toutefois pour l'aider si elle voulait se lever. Le journal ne quittait plus la table – même au dîner, on le poussait dans un coin mais le reste de la journée il prenait toute la place, déplié. Alexandre montrait quelque chose du doigt sur l'avant-dernière page, Émilienne continuait sa petite chanson, «c'est bien, c'est bien». Ils semblaient seuls au monde, et Blanche craignit de briser leur amitié, si soudaine, si étrange pour ces deux êtres qui s'étaient déchirés, des années plus tôt, ici même.

— Je vous dérange, peut-être.

Alexandre se leva d'un coup.

— Nous étions en pleine réunion ! plaisanta-t-il. Je trouve qu'Émilienne va mieux.

Mais Blanche ne voulait pas qu'on parle de cela, de la santé de sa grand-mère, de ces heures d'exil loin du Paradis, et de celles encore pires qui avaient suivi, pendant trois semaines, sans lui.

Alexandre dîna au Paradis. Il promit de revenir le lendemain, et les jours suivants. Blanche lui proposa de rester dormir, mais «c'était impossible».

— Pourquoi «impossible» ? demanda-t-elle, et de nouveau l'orage voila le vert de ses yeux.

Très calme, Alexandre expliqua qu'il devait prendre ses dispositions à l'agence, que bientôt il s'installerait au village, mais il y avait le préavis de son petit appartement en ville, les calculs du coût de transport. Il se demandait s'il ne proposerait pas à son chef d'ouvrir une antenne de l'agence à la campagne, pour s'occuper, en direct, des terres agricoles, des besoins des nouveaux acheteurs, sans perdre du temps en voiture. Alexandre aussi négociait le terrain derrière la maison de ses parents, il voulait que ce pré lui appartienne, qu'il puisse y construire une véranda, tomber un mur, agrandir, afin que la lumière entre, enfin, dans cette maison étroite. Pour tout cela, il devait « régler des choses ». Blanche enregistrait chaque mot, chaque nom, elle demanda son adresse, celle de son agence, voulut savoir si son chef était un type bien, et qu'il lui parle de la Nouvelle-Zélande. Gabriel avait déjà tout raconté, mais elle voulait entendre l'histoire encore une fois et Alexandre, le sourire teinté d'une ombre d'exaspération, l'embrassa doucement sur le front, glissant :

— On a tout le temps pour se raconter nos vies d'avant.

Elle rougit. Son visage s'excusait, de sa faim de lui, des renseignements qu'elle picorait, elle voulait tout savoir, tout.

Les jours qui suivirent passèrent dans un songe, ardent et délicieux.

Alexandre arrivait à treize heures. Il prenait le café avec Émilienne, parfois il apportait des calissons. Blanche regardait sa grand-mère les engloutir, la gourmandise gonflait ses joues, un peu d'enfance affleurait à la surface de sa vieillesse.

Alexandre restait près d'elle une petite heure. Ils discutaient du beau temps, de la voiture dans la grange, de la santé des vaches, ou ils ne disaient rien. Émilienne lisait le journal, Alexandre sirotait son café en regardant par la fenêtre le ballet des oies sous l'arbre. Au bout de quelques jours, il sortit la table dans la cour, sous l'ombre des feuillages. Il arrivait alors que Louis passe devant eux ; le commis ne levait pas les yeux, la sueur luisait sur son visage, sur ses bras ; il passait, simplement, avec les poules, les pintades et les canards, il passait. On n'entendait de lui que le froissement de son bleu de travail contre ses jambes. Louis vivait chez Gabriel. Blanche se demandait comment ils faisaient, à trois dans ce petit cube à l'orée des bois, mais ses questions étaient vite balayées par le sourire d'Alexandre.

Alors elle abandonna tout, elle fut à lui, à eux deux, il n'était plus temps de se soucier des autres. Seuls comptèrent leurs moments : ces heures, dehors, dans la cuisine, ces morceaux de journée la remplissaient de joie, de fierté, de certitudes. Elle n'avait plus accueilli ces sentiments depuis si longtemps que les sentir si fortement dans sa vie, dans son âme et dans sa chair lui donnait une confiance absolue en l'avenir.

Blanche le mena jusqu'à leur chambre, comme on mène une mule sur le flanc d'une colline. Son corps contre le sien, sa bouche, ses muscles nouveaux, les poils qui avaient poussé là où, des années plus tôt, ne brillait qu'une peau glabre, ses gestes aussi, offerts à d'autres avant elle, ses baisers, profonds, parfois violents, affamés, son sexe. Elle jouait avec ses lèvres, avec ses cuisses, tout chez Alexandre, des ongles aux cheveux, tout lui plaisait, tout était matière à jeux, à morsures, à lèches. Elle le mangeait à la manière d'un animal que personne n'a nourri, le désir effaçait la fatigue et l'inquiétude. Elle était à eux, le passé s'éloignait, elle était à eux et elle le lui répétait, pendant qu'ils faisaient l'amour, rattrapant tous les après-midi où ils ne l'avaient pas fait, elle le lui répétait et Alexandre fermait les yeux. Ils s'aimèrent, bruyamment, serrés. Quand il partait régler quelques affaires, Blanche s'endormait, heureuse et rompue, palpitante, tandis que sous la fenêtre, dans la cour, Louis travaillait à se détruire, couvert de cette odeur de chiure, de boue, de brûlure. Il se détruisait pour ne pas être détruit par Alexandre et Blanche. Louis continuait à prendre soin du Paradis, oiseau triste et fatigué apportant au nid des branches supplémentaires.

Vendre

La première nuit.

Alexandre avait dit :

— J'ai plusieurs jours devant moi. Je peux rester, si tu veux.

Les doigts de Blanche trottaient sur son ventre, cerclaient son nombril, remontaient le long de la mince travée entre ses pectoraux et roulaient sur son cou. Elle le couvrait de caresses, capturait ce corps qu'elle aimait. Alexandre était à elle, pour de vrai, bien vivant, elle sentait son cœur battre dans son oreille.

— Je veux que tu restes.

Blanche disparut dans ses bras. Les odeurs de sueur, de sexe, d'haleine se mélangeaient.

— Très bien. Je prends mes affaires demain et je reste jusqu'à lundi.

Trois nuits. Blanche tressaillit. Demain, vendredi, on dînerait peut-être au jardin, elle porterait une robe blanche à fleurs rouges. Émilienne serait contente qu'on change un peu. Puis elle jeta un coup d'œil au réveil sur la table de chevet. Trois heures de l'après-midi.

— Tu pars maintenant ?

Alexandre se rhabillait déjà en louvoyant, avec une délicatesse presque ridicule. Ses vêtements étaient soigneusement pliés sur la chaise. Assis au bord du lit, il remontait les manches de sa chemise, concentré.

— Alexandre ?

Elle se tendit vers lui.

— Si je veux quitter le travail tôt demain, reprit-il, pour être ici à dîner, je dois finir tard aujourd'hui.

Blanche l'admirait, nue sous les draps. Alexandre se tenait droit ; sa chemise, bien coupée, tombait avec grâce sur ses hanches étroites mais solides. Ses épaules, ses pectoraux, marqués par les bons plis, aux bons endroits, paraissaient plus noueux, plus renforcés qu'à l'adolescence. Et par-dessus ce corps d'homme très sûr de lui, ce visage, époustouflant encore de jeunesse.

— À demain, alors.

Il l'embrassa sur le front, le nez, la bouche. Blanche ne pouvait pas bouger. Le plaisir l'immobilisait dans son lit empli de cette odeur de l'amour qu'on vient de faire.

La journée suivante fut longue. Incapable de

dormir tard, Blanche se leva à six heures du matin. Elle descendit après avoir entendu Louis claquer la porte. Il prenait encore son café dans la cuisine, très tôt, quand la maison dormait. Lorsqu'elle l'écoutait déplacer les tasses, les chaises, s'asseoir, se lever, elle s'imaginait qu'un jour il accepterait Alexandre, que peut-être ils sauraient se parler, se demander pardon mutuellement. Elle s'obstinait à croire que les choses rentreraient dans l'ordre : si Louis ne voulait plus vivre sous ce toit, peut-être pourrait-elle retaper la dépendance, à côté de la grange, pour lui, qu'il soit là sans être là, qu'il soit proche tout en gardant ses distances, qu'il continue à habiter le Paradis sans être obligé de traverser deux fois par jour cette route où Marianne et Étienne avaient péri. Elle se demandait s'il y pensait, quand il voyait Gabriel le soir, quand il longeait la mince bande de goudron jusqu'à la maison, puis elle se rappelait qu'il n'avait rien à voir avec eux, que Louis n'avait ni leur sang, ni leurs traits, il n'était pas son frère, son cousin, son oncle, il était un homme échoué là.

Lorsqu'il eut quitté la cuisine, elle descendit, prépara une cafetière et un petit déjeuner copieux. Elle passa la matinée à nettoyer la maison, à changer les draps, lustrer les marches, elle balaya la cour jusqu'au chemin de terre. Sous l'arbre, elle disposa des cales pour la table, des fauteuils agréables et une nappe bleu ciel. Ils dîneraient tard, quand la chaleur retomberait. L'après-midi, elle se rendit au village, acheta de jolies serviettes en papier et une bouteille de vin rouge. Aurore la salua de loin. Elle rentra au Paradis vers cinq heures ; Émilienne attendait son retour, dans la cuisine. Sa grand-mère lui conseilla de se coiffer à la manière de Marianne, un chignon bas et des mèches folles. La robe était propre et repassée sur son lit. Blanche prit un bain, un instant le souvenir de sa grand-mère lui frictionnant les épaules remonta à sa mémoire, puis elle s'essuya un long moment, inspectant son corps. Devant la glace trop petite, elle ne pouvait se voir en entier. Une partie d'elle manquait mais elle s'en fichait, elle se regardait, attrapait ses fesses pour leur donner des couleurs, son index courait sur la ligne du sein jusqu'à la cuisse. Blanche ne s'était jamais sentie plus belle qu'en cet instant, devant ce miroir cassé.

Alexandre arriva en fin d'après-midi, un sac de voyage dans une main, un filet à provisions dans l'autre. Il avait acheté des fruits, une tarte meringuée pour le dessert, des bonbons, du chocolat à la menthe, des calissons, du thé. Il rangea tout dans la cuisine, puis il libéra un étage du réfrigérateur pour la tarte qu'il convenait, dit-il, de laisser dans un papier absorbant, au frais. Méticuleux, il découpa le chocolat en petits carrés qu'il disposa dans une assiette, l'orange au milieu, en arc de cercle, la menthe sur les côtés, et deux calissons pour faire des yeux à ce visage de sucre dans cette assiette ébréchée. En fermant la porte derrière lui il murmura «ça fera bel effet au dessert» et Blanche l'embrassa sur les lèvres. Elle aimait qu'il parle avec ces mots-là, dans sa bouche, tout était charmant, adorable, c'était tellement mignon, cette façon d'être de tous les siècles, avec l'assurance que rien ni personne ne lui résistait.

Ils dînèrent dehors. La soirée s'étira comme un chat sur un oreiller : Émilienne demanda des nouvelles des parents d'Alexandre ; ils vieillissaient, mais ils allaient bien, son père travaillerait encore une année au guichet de la gare, avec celui d'Aurore. Alexandre comptait acheter le terrain derrière la maison pour que leurs vieux jours soient heureux, lumineux, et que l'horizon ne soit pas fermé par d'horribles murs pâles. Blanche le regardait, il s'adressait à Émilienne, son avis semblait importer plus que tout, il lui parlait dans les yeux. Blanche accepta, pendant un long moment qui dura jusqu'au dessert, de ne pas exister entre eux. Qu'il l'aime, cette grand-mère, Blanche avait besoin de cela, de la certitude qu'il l'aimait, qu'il prendrait soin d'elle, qu'il serait là. Elle toussota pour le tirer de sa conversation. Il lui décocha un de ces sourires qu'elle adorait et s'empressa de débarrasser la table, à la manière d'un serveur aguerri. Tandis qu'Alexandre s'engouffrait dans la maison, les mains chargées d'assiettes sales, de plats vides, de verres, Émilienne se pencha vers Blanche :

— Il est sérieux, c'est sûr, il est sérieux.

Il revint quelques minutes plus tard, un tablier grossièrement noué autour de la taille, la tarte sur un plateau rond, et son visage de chocolats et calissons dans une assiette.

— Et maintenant, la ronde des desserts.

Émilienne applaudit. Blanche, un peu en retrait sur sa chaise, aurait voulu que cet instant n'ait pas de fin. Ils étaient beaux, tous les trois, dans cette nuit sans vent, devant cette maison éternelle, ils étaient beaux, revenus de tout, avachis dans la fraîcheur, repus de viande, d'alcool et de tendresse.

Ils terminèrent tard. Blanche fit la vaisselle pendant qu'Alexandre aidait Émilienne à monter l'escalier. Les marches craquaient sous leur poids. D'en bas, elle devinait leur trajet, leurs mouvements. Elle égouttait les assiettes au-dessus de la bassine d'eau trouble et les séchait sur le bord de l'évier, les plaçant en épi. Lorsque le silence revint à l'étage, elle se sentit emplie d'un sentiment nouveau : tout était en ordre. Comme il l'avait promis.

La nuit, claire et silencieuse, enrobait la maison. Blanche regardait la danse des papillons nocturnes, attirés par l'ampoule au-dessus de l'évier. Elle tendit la main vers l'interrupteur mais un bras la saisit, lui arrachant un cri de surprise.

Il s'était glissé derrière elle ; Blanche, prise entre le corps d'Alexandre et le rebord de l'évier, voulut se retourner mais il l'en empêcha.

Il jouait déjà avec elle : en essayant de se dégager, Blanche sentit les mains, le torse, le sexe d'Alexandre. Un long soupir monta dans sa gorge. Alexandre, mains sur son ventre, solidement arrimé autour de sa taille, comprit l'excitation de Blanche : elle était à lui, à eux, et là, tandis que les assiettes séchaient dans la nuit sur un torchon humide, Blanche plia sous le poids d'Alexandre et de la longue attente.

Tomber

La fenêtre ouvrait son œil sur la cour. Les branches étendaient leurs ombres longues jusque devant la grange, le chien étirait ses pattes, se protégeait de la chaleur en changeant de place, suivant la danse du soleil à travers les feuilles. À midi, Émilienne le trouverait étendu sur les marches, au frais ; elle ne le gronderait pas, peut-être qu'elle le caresserait, ça lui arrivait, parfois, de lui passer la main sur le dos, de tapoter le haut de son crâne, entre les deux oreilles. L'animal plissait les yeux et se rendormait aussitôt.

Blanche s'était réveillée avec l'aube. Alexandre dormait de côté, le visage tourné vers elle, son souffle était lent, presque inaudible. Elle regardait ce long corps abandonné aux rêves : au petit matin, il ressemblait à celui du chien sur les marches. Alexandre dormait d'un sommeil lourd, pourtant il n'avait pas tant bu que ça, la veille. À neuf heures, il se tourna de l'autre côté. Blanche crut qu'il allait saisir sa montre sur la table de chevet – mais non, il se rendormit aussitôt, dans un chuintement de draps. Blanche n'était jamais restée aussi tard au lit, avec ou sans Alexandre, et elle avait la sensation, exquise, de briser les règles de la maison. Rester au lit, pourquoi pas ? Dehors, Louis s'occupait de tout, il était payé pour ça. Elle, elle pouvait bien ne pas sortir de cette chambre, pendant des heures, des jours entiers avec ce corps d'homme, ce corps de chien à côté d'elle, dur comme le rebord d'un abreuvoir.

« ALEXANDRE ! »

Elle sursauta. Un instant, elle crut s'être rendormie, pensa que le cri venait d'un songe. Encore engourdie, elle tendit l'oreille. À côté d'elle, Alexandre dormait toujours.

« ALEXANDRE ! »

Cette fois-ci, elle n'avait pas rêvé.

— Qu'est-ce qui se passe ? grogna-t-il. Quelle heure est-il ?

Il attrapa sa montre. Neuf heures et demie. Puis il se frotta les yeux. Dans ses paumes toute la nuit s'en allait par ce geste mécanique, précis, de la figure qu'on défroisse.

— Quelqu'un t'appelle.

La voix de Louis. Blanche voulut descendre, lui dire d'arrêter son cirque, ce n'était pas le moment, pas ici, pas maintenant, pas dans cette maison. Mais la seconde fois, elle avait senti dans la voix

une intonation qu'elle ne connaissait pas, inquié-
tante. Cet appel n'était pas agressif. Chargé, peut-
être, mais pas agressif.

— Oui, c'est bon, j'ai entendu.

Alexandre se déplia sur le bord du lit. Ses vêtements, sur la chaise, semblaient avoir été déposés
par un majordome.

« Alexandre ! Descends ! »

Blanche bondit hors du lit et enfila une robe
de chambre accrochée au mur, trop chaude, dans
laquelle elle étouffait. Alexandre s'habilla à la
hâte. La quiétude du sommeil avait quitté son
visage, Blanche n'y voyait plus que le froncement
des sourcils, l'air buté. Il ne prit pas la peine de
remonter les manches de sa chemise, ni de lacer
ses chaussures de ville. Avant de descendre, il
leva les yeux sur elle et lui adressa un maigre sourire.

Du haut des marches, elle vit qu'il s'était arrêté
dans l'entrée. Louis, sur le seuil de la salle à manger, fixait le dehors. Personne ne parlait. Blanche
sentit l'air déjà chaud monter dans l'escalier.
Quelque chose, quelqu'un se tenait là. Un silence
de mort s'abattit sur la maison.

— Tout va bien ?

La voix d'Émilienne avait fusé depuis la cuisine.
Louis pivota sur lui-même.

— Reste où tu es, tout va bien.

Émilienne apparut, alertée par cette voix de

mauvais présage, et elle aussi s'immobilisa dans le couloir.

Le pas de Blanche fit craquer les premières marches du haut. Alexandre, Louis et Émilienne se tournèrent, en un même mouvement, leurs trois corps se tendirent vers elle, implorant qu'elle s'arrête là, qu'elle retourne dans sa chambre.

— Qu'est-ce que vous avez à me regarder ? dit-elle, la gorge serrée, les pieds nus sur le bois qu'elle avait lustré la veille.

Alexandre baissa la tête. Un long soupir monta jusqu'à Blanche qui se hâta, une main sur la rampe, l'autre sur le nœud de sa robe de chambre.

En bas, Louis s'interposa entre Alexandre et elle.

— Blanche, tu ne devrais pas rester là.

Mais elle le poussa de côté, violemment, et avant que Louis ait pu la retenir, elle s'avança dans la lumière du jour, puis se figea sur le perron.

Une jeune femme attendait. Elle portait une robe bleue, avec des manches découpées au coude, et de petites sandales tressées. Blanche dévisagea l'étrangère. Elle était fine, un visage de magazine, un peu maigre mais délicat.

À sa main, un enfant.

Cheveux bouclés. Yeux en amande. Fossettes. Un visage adorable. Le soleil lui faisait les joues rouges. Il fixait Blanche, de ce regard qu'elle reconnaissait.

228

— Pardonnez-moi, dit la jeune femme, d'une voix si fluette que Blanche dut tendre l'oreille, Alexandre est-il là ?

Elle lança un regard à Louis, qui acquiesça.

— À l'agence, on m'a dit qu'il travaillait ici, en ce moment.

Blanche sentit Alexandre reculer vers l'escalier.

— Ils vous ont dit qu'il travaillait ici ? bégaya-t-elle.

L'autre semblait si gentille, si obéissante… Blanche ne doutait pas de sa parole. Cette femme, de celles qu'on marie à son fils sans inquiétude, de celles qu'on accepte dans sa famille sans crainte, cette femme disait vrai et chacun de ses mots brisait Blanche. Immobile face à l'enfant, Blanche tendit le bras en arrière, pointant Alexandre du doigt sans le regarder, et souffla :

— Va-t'en.

L'enfant se mit à pleurer. La chaleur l'étouffait. Sa mère le souleva, répétant «là, là, c'est bientôt fini», puis, alors qu'Émilienne disparaissait dans la salle à manger, la jeune femme, embarrassée, s'adressa à Alexandre :

— Le petit voulait te voir, tu as été très absent cette semaine, j'ai pensé que ce serait une bonne surprise qu'on vienne dans ton village.

Alexandre gémit.

— Ce n'est pas le moment, finit-il par lâcher, d'une voix étranglée.

La jeune femme secoua la tête, le petit avait posé la sienne sur son épaule.

— Tu travailles même le samedi, visiblement.

Blanche rugit. Louis, Alexandre et l'inconnue sursautèrent en même temps. L'enfant hoqueta violemment ; la fille Émard voulut pleurer elle aussi. Mais Marianne était morte, Émilienne était vieille. Personne ne la protégerait.

— Blanche, viens.

Louis était passé devant Alexandre, il se tenait au-dessus de Blanche et attrapa son bras vivement. Elle se laissa faire. Il la reconduisit à l'intérieur, et face à Alexandre, elle implora :

— Dis-moi que ce n'est pas vrai.

Tête baissée, immobile, Alexandre reniflait.

— Je suis désolé, Blanche, vraiment désolé.

Elle voulut se jeter sur lui mais Louis la poussa en arrière, le commis se dressait entre elle et son amour. Elle tenta de se dégager mais il la tenait ferme.

— Je veux juste une belle vie, souffla Alexandre.

Le couple s'éloigna. La femme hésita quelques secondes à revenir vers Blanche, mais son mari la tira par l'épaule, sa main sur son cou la menait où il voulait, loin d'ici, loin du Paradis. De la fenêtre, cette jeune femme, ce jeune homme et l'enfant entre eux, marchant ensemble, sur une même ligne, formaient un tableau parfait. La douce lumière du matin passait sur eux. Leurs pas s'enfoncèrent dans le gravier en bordure de la cour et, lorsqu'ils traversèrent, Blanche, sonnée et pâle, retourna à petits pas dans la cuisine. Louis la soutenait.

On eût dit que ses muscles étaient devenus de chiffes et de coton. Dans ce couloir éclaboussé d'une lumière aveuglante, Blanche, ramassée par le commis, jetait son ombre au sol. Son visage semblait couler sur sa gorge et sa poitrine. Son corps, seul, aurait su tenir debout : mais à l'intérieur, son âme entière, son âme faite de tous ses âges, de toutes ses expériences, implosait.

Avouer

Émilienne pleurait.

De grosses larmes coulaient sur son visage. Blanche et Louis s'assirent chacun à sa place, la vieille femme présidant cette pauvre assemblée, les bras croisés sur son journal fermé. Ses épaules, affaissées, ne bougeaient pas. Les sanglots glissaient sur ses joues, tombaient sur ses doigts. Blanche ne l'avait jamais vue pleurer. Elle se sentit presque gênée, mais son cœur à elle, lourd, gonflé, la privait de toute pensée. Son attention, pour se fixer sur une autre image que celle de cette jeune femme et de son fils devant la maison, nécessitait un effort impossible à accomplir. Face à elle, Louis, sous le choc de leurs chagrins, dissimulait sa colère en frottant ses mains l'une contre l'autre. Ses paumes rougeoyaient, Blanche crut qu'elles allaient saigner, il ne se privait pas de cette douleur qui compensait le reste, l'aidait à mettre ses idées en ordre.

— C'est de ma faute.

La voix d'Émilienne n'avait plus rien de celle que Blanche avait connue. Étranglée par les larmes, la honte et la vieillesse.

— C'est de ma faute, Blanche.

Elle avança sa main pour effleurer celle de sa grand-mère. Émilienne se laissa faire. Noyée dans sa douleur, elle se taisait.

— Explique-nous, intima Blanche.

Alors elle dit tout. Blanche se penchait sur elle pour comprendre ses phrases. Louis écoutait, immobile, figé.

À l'hôpital, chaque matin, Alexandre était venu voir Émilienne. Le premier jour, il s'était contenté de rester près d'elle sans rien dire, sur le fauteuil à côté du lit. La grand-mère, abrutie de médicaments et de fatigue, ne l'avait pas chassé. Elle aimait sa présence, il veillait sur elle jusqu'à l'arrivée de Blanche, et quand il prenait congé, il disait toujours :

— Ne vous inquiétez pas, Émilienne, Blanche arrive.

Il ne lui faisait pas simplement une courte visite, comme les autres l'imaginaient. Il restait une heure, parfois plus. Émilienne était persuadée que sa petite-fille le savait, qu'elle était d'accord. Blanche frissonna.

Le deuxième jour, Alexandre avait présenté ses excuses à Émilienne :

234

— Je suis tellement désolé, je sais que j'ai fait du mal à tout le monde.

Il voulait se racheter. Il viendrait vivre au village, la ville était déjà loin pour lui, un souvenir, Alexandre avait « fait le tour de la question ». Et Émilienne, dans son lit, dans sa souffrance, écoutait ce garçon lui décrire ce qu'il ressentait : il aimait Blanche, plus que tout. S'il devait entretenir le Paradis pour que la grand-mère lui accorde son pardon et sa confiance, il s'y tiendrait.

Les jours suivants, il lui garantit qu'il avait tout imaginé, tout planifié pour que l'avenir du Paradis et de Blanche soit assuré. Il expliqua à Émilienne, malade, fatiguée, qu'il fallait vendre des terres, les moins productives, se donner les moyens de tirer mieux parti des autres. Renouveler l'équipement de la ferme, travailler sur une surface agricole restreinte. C'était trop dur, cette vie-là, elle le savait bien Émilienne, trop dur, ce n'était pas une vie pour une jeune femme d'aujourd'hui. Il fallait la soulager de ce poids, de ce fardeau, lui permettre d'être heureuse, de ne pas avoir à penser qu'à l'exploitation.

Louis laissa échapper un juron. Blanche ne bougeait plus. Elle écoutait cette histoire, elle voyait le piège se refermer sur Émilienne et comprenait, une pitié détestable nichée dans le regard, que sa grand-mère se soit laissé prendre.

— Je ne vais pas vivre longtemps, murmura la vieille... Il avait de bons arguments.

— Six mille l'hectare, dit Louis.

Les deux femmes le regardèrent fixement.

— Comment ?

— Six mille l'hectare. C'est le prix, ici.

Blanche s'affaissa.

Tout cela pour construire, vendre, construire encore, vendre encore une fois. Alexandre l'avait baisée. Oui, pour la première fois, elle ne voyait pas d'autre mot : il l'avait baisée, et elle s'était laissé faire, elle en avait même redemandé.

— Et après ? interrogea Blanche.

— Après, Alexandre n'est pas réapparu pendant trois semaines, comme tu sais, dit sa grand-mère en se redressant un peu.

Elle s'était entièrement vidée de ses larmes.

— Je ne pouvais pas t'en parler, tu aurais dit non.

Émilienne avait raison : Blanche aurait refusé d'en discuter. Alexandre n'était pas venu pendant trois semaines pour cela, pour laisser la vieille avoir peur de l'avenir, de la mort, du peu qu'elle léguait, du fardeau que représentaient ces terres à entretenir.

— Quand vous vous êtes remis ensemble, c'était parfait. J'en rêvais.

Blanche repensa à ces jours où Alexandre et Émilienne prenaient le café tous les deux, chuchotant, si proches. Alexandre était revenu, il s'occuperait de tout, la vente des hectares de terres autour de l'étang servirait à payer les nouvelles machines de traite, à construire une extension de la grange, et à augmenter le nombre de bêtes du troupeau. C'était se moderniser, s'autoriser un peu moins de dureté, plus de confort.

—Tout semblait rentrer dans l'ordre, gémit Émilienne.

Louis ne disait rien, Blanche n'osait pas lever les yeux sur lui. On l'avait oublié. On l'avait même chassé du Paradis ; c'est ce qu'Alexandre souhaitait depuis le début. Fin stratège, Alexandre n'était pas venu, prétextant qu'il avait peur de Louis, en toutes circonstances il avait manœuvré pour se poser en victime du commis, et Blanche s'en rendait compte seulement dans la défaite. Blanche voyait défiler, une à une, devant ses yeux, les étapes de son plan. Désormais, chacun de ses sourires la brûlait : il s'était moqué d'elle, de Louis, d'Émilienne, il s'était moqué de son amour. Pire, il lui avait fait mordre la poussière.

—Hier, quand il est arrivé avec son sac, ses cadeaux, tout avait l'air si bien, murmura Émilienne.

—Tu as signé quelque chose ? demanda Louis, brusquement.

—Oui.

Il recula sa chaise contre le mur et quitta la

salle à manger. Une fois dans le vestibule, il laissa échapper un long cri de guerre, un hennissement, guttural, affreux. Émilienne mit ses mains sur ses oreilles, elle entendait, dans la gueulante de Louis, toute sa naïveté, sa peur de mourir.

Elle retira son poignet de la paume de Blanche et s'essuya les yeux, ses doigts semblèrent entrer dans les orbites tant elle les frottait, dans un mouvement lent, inhabituel.

— Pourquoi tu as fait ça ?

Dans sa propre voix, Blanche reconnut ce grelot cassé, il tremblait entre ses dents, sous sa langue, il roulait dans sa gorge. Cet instrument d'horreur, froid, de plus en plus lourd, prenait de la place entre ses mots, entre ses pensées, entre les larmes qui viendraient, oui, elles viendraient ses larmes. Mais pas devant les autres.

— Parce que je voulais faire les choses correctement avant de partir.

Blanche faillit dire « partir où ? ». Sa grand-mère était vieille, très vieille, et Blanche n'y connaissait rien, aux questions d'avant la mort, aux dernières volontés, aux angoisses la nuit, qui viennent quand on ne sait pas si cette nuit sera la dernière, s'il y en aura encore une, ou dix, ou cent de plus. Mais Blanche avait connu la mort avant les autres, et maintenant qu'Émilienne abordait sa propre fin, sur la crête glissante d'une falaise, Blanche la regardait disparaître, petit à petit, à l'horizon du Paradis.

— Qu'est-ce qu'il veut faire de ces terres ?

— Les revendre.

Blanche imagina à quoi ressembleraient les limites du Paradis, dans dix ans, criblées de lotissements, de résidences secondaires, de campings, autour du Sombre-Étang, le long des Bas-Champs.

— Je ne comprends pas, siffla Blanche. On ne peut pas construire, ici.

— Pas encore.

Blanche fronça les sourcils. On lui avait toujours dit, à l'école, à la maison, que le domaine serait protégé.

— Comment ça ?

Émilienne soupira.

— Tu ne vois pas ce qui se passe au-dehors ?

— Non, je ne vois pas.

On construirait bientôt des maisons qui se ressembleraient, jumelles multipliées, fonctionnelles, la ville arriverait avec ses bras de goudron, de peinture et de péages, elle viendrait jusqu'au Paradis et il ferait partie de cette ville rampante. Les hommes et les animaux mourraient pour que les villes continuent de grandir, dévorantes.

Blanche vacilla sur sa chaise. Le barrage cédait derrière ce vert si beau, ce vert d'eau, ce vert de feuilles trempées. Dans dix ans, ou peut-être plus tôt encore, le monde commencerait à grignoter leur territoire. Alexandre avait donné le premier coup de dents.

Pleurer

C'est donc cela, les pleurs, les vrais. Les sanglots déferlaient, à n'importe quelle heure du jour ou de la nuit, remontaient les profondeurs de son cœur, noyaient tout sur leur passage, écrasaient ce corps que les travaux des champs avaient rendu solide, dévastaient méthodiquement toute pensée claire. Ils irriguaient le visage en laissant derrière eux des lits de rivières salées, où les souvenirs de Blanche se couchaient tels des chiens qu'on affame pour qu'ils cessent d'aboyer. C'est donc cela, les pleurs, les vrais. Des torrents de honte, d'incompréhension, auxquels les mots de consolation se cognaient. Blanche, privée de nourriture, d'air frais et de tendresse, rétrécissait dans ce grand lit où l'odeur d'Alexandre persistait malgré les draps changés. Son organisme s'asséchait, brisé, et Blanche s'interdisait de le remplir pour ne pas nourrir ses larmes, pour ne plus sentir cette saveur sur ses lèvres sèches, ourlées d'une fine ligne claire. Blanche mourait de faim dans son grand lit : derrière la porte, Émilienne attendait. Elle ne pouvait plus la baigner, la porter, la rassurer ainsi qu'autrefois. Désormais Blanche était seule dans sa douleur.

C'est donc cela, les pleurs, les vrais. Des blessures en avalanche, les muscles, la peau, les os, le sang, qui tentent de sortir par les yeux, qui fuient ce navire à la dérive, cette épave incapable d'accueillir d'autres matelots que ceux du passé, dont le pont s'est depuis longtemps écroulé sous le poids de ce grelot, énorme à présent, monstrueux, une gigantesque boule qui grossissait encore. C'est donc cela, les pleurs : le sacre du désespoir.

On n'appela pas le médecin. Louis continuait son travail. Le matin, il prenait son petit déjeuner, seul dans la salle à manger, les mouches tournoyant au-dessus de sa tête, entrant et sortant par la fenêtre ouverte. Émilienne se levait plus tard ; il l'aidait à descendre, lui préparait un café, des tartines auxquelles elle touchait à peine, mais pour rien au monde il ne se serait laissé gagner par ce silence de mort. Dehors, la vie ne cessait pas : les vaches fouettaient l'air de leur queue, les poules pondaient et caquetaient dès qu'elles entendaient un oiseau se faufiler dans la pente, les cochons se pressaient contre la barrière de la fosse. Louis se chargeait de tout, il traversait la cour vingt fois par jour, levait les yeux sur la chambre du haut, et parfois la fenêtre entrouverte lui donnait l'espoir d'apercevoir le visage de Blanche. Elle était couchée, s'enfonçait doucement dans sa tristesse, succombant au supplice de la mémoire, plus vivante qu'aucun des membres de cette maison où les animaux ruaient encore, avançaient malgré l'absence des femmes, recroquevillées dans la douleur. Louis était revenu ; sa chambre lui paraissait si grande et la maison si pleine du piège d'Alexandre. Il aurait préféré dormir avec les bêtes tant il avait peur d'être contaminé par la détresse.

Et quand il entendait Blanche se tourner dans son lit, de l'autre côté du mur, il pensait *c'est donc cela, les pleurs*.

Cogner

Émilienne déposait des assiettes devant la porte de la chambre. Des morceaux de pain, de viande, de pommes de terre disparaissaient, mais Louis et la vieille ne savaient pas si c'était l'œuvre d'une souris ou de Blanche. Elle sortait de sa chambre pour aller aux toilettes ou jusqu'à la salle de bains qu'elle fermait à clé, le temps de se rincer à l'eau froide. Tout ce qui palliait la douleur de son âme, tout ce qui l'éloignait, même quelques secondes, de ce trou sans fond où Alexandre l'avait poussée, tout, même le jet glacé qui marquait sa peau, elle acceptait tout. Mais elle ne quittait pas l'étage. Blanche se roulait dans les draps, s'asseyait au pied du lit, sous la fenêtre. Elle se désagrégeait entre ces quatre murs, la peau d'une pâleur effroyable, que la seule caresse du soleil brûlait immédiatement. Elle tournait dans cet étrange laboratoire fait de rien, elle était à la fois le chercheur fou et le cobaye : elle fouillait dans ce qu'il restait de sa carcasse, essayait d'assembler avec les restes une personne nouvelle, forte, qu'on ne pourrait plus blesser, humilier, ravager de la sorte.

Un matin, à l'heure où Émilienne déposait le plateau, Blanche entendit trois coups légers. Elle ne répondit pas.

De nouveau, trois coups.

— Blanche, c'est Louis.

Elle secoua la tête comme font les ânes pour chasser les mouches autour de leurs yeux.

— Blanche, j'ai quelque chose à te dire.

Elle s'approcha de la porte, timidement, pour ne pas faire craquer le plancher, pour ne pas que Louis pense qu'elle lui ouvrirait.

— Tu n'as pas besoin de m'ouvrir la porte. Frappe un coup pour me dire que tu m'entends.

Elle s'exécuta. Derrière le lourd panneau de bois, Louis soupira.

— Il faudra bien que tu sortes un jour, Blanche, tu ne peux pas rester enfermée pour l'éternité.

Elle recula d'un pas, sentant la nausée monter en elle.

— Tout est beau, dehors, souffla-t-il, d'une voix presque tendre, une voix que Blanche ne lui avait jamais connue.

Blanche se sentit lourde. Elle connaissait si bien les mauvaises planches du sol qu'elle savait où s'immobiliser pour faire croire que la pièce était vide.

— Blanche ? murmura Louis.

Elle tendit la main, fit grincer la porte en appuyant dessus de la paume.

— Gabriel et Aurore vont se marier.

Puis Louis tourna les talons.

Lire

Elle ne toucha pas à son assiette, ni ce jour, ni le suivant, ni celui d'après.

Son frère aimait une jeune femme. Son frère, si mal fichu pour la vie, avait trouvé l'amour. Bientôt, *ils* seraient mariés. Blanche, au pied du lit, le visage flanqué d'un sourire monstrueux, hoquetait. Gabriel avait contourné la ferme. Il regardait Aurore avec des yeux débordant de reconnaissance et de tendresse, il la protégeait du monde paysan, de sa dureté, de son efficacité ; elle le protégeait des songes sans fin dans lesquels il se perdait. Gabriel et Aurore se complétaient. Ils étaient bien ensemble.

Blanche avait été heureuse avec Alexandre. Jamais tranquille, jamais rassasiée, mais heureuse. Elle en était certaine. Elle avait connu, pendant des mois, à dix-sept ans, la puissance des sentiments. À trente ans, le retour de ces émotions dans sa vie l'avait remplie de certitudes. Combien de temps avaient-ils été heureux ensemble ? Quelques mois puis, des années plus tard, quelques semaines.

À présent, elle payait ce bonheur le prix d'une vie entière, de son propre corps qu'elle martyrisait, de sa mémoire jalouse et de son âme humiliée. Alexandre et elle auraient dû se marier, eux aussi, habiter ici, être beaux comme ils avaient toujours été beaux, fossettes et yeux verts unis, au bord de cet étang qu'Émilienne avait vendu trop vite, pour sauver le Paradis, pour sauver Blanche.

Gabriel aimait, et il était aimé. Cette vérité simple ravageait sa sœur, elle avait tellement cru qu'il ne s'en sortirait pas. Le savoir si protégé, si fort dans ce couple l'obligeait à affronter ses propres mensonges, à accepter que Gabriel ne soit plus seulement son petit frère mais bientôt le mari d'une femme, preuve vivante qu'il n'avait pas besoin de Blanche, d'Émilienne, ou de Louis. Dans son orgueil de grande sœur, dans les responsabilités qu'elle portait depuis l'enfance, Blanche avait oublié que le Paradis n'était pas peuplé uniquement d'animaux mais aussi d'êtres humains capables de tout, même du meilleur.

Assise sur le parquet, Blanche saisit la caisse de son père, où s'entassaient ses cahiers, ses notes, ses photos. Elle se replongea dans «Une petite histoire du Paradis». Au centre de la première page, le cliché des enfants Émard.

Blanche et Gabriel, dans la bassine. Nus. Osseux

pour des enfants de cet âge. Blanche jeta un œil sur ses poignets, ne pas s'alimenter la ramenait à cette petite enfance, dénuée de force. À trente ans, Blanche semblait plus fragile qu'à cinq, dans cette bassine en fer qu'Émilienne avait dû remplir et laisser au soleil pour chauffer l'eau. Le chien, la gueule contre l'anse, lapait d'une langue démesurée le bain des enfants qui s'éclaboussaient dans la chaleur d'un après-midi d'été. Blanche déchiffra cette photo longtemps, cherchant des traces qui auraient pu la rassurer, combler le manque d'Alexandre. Mais l'enfant qu'elle avait été ne la regardait pas ; la petite Émard battait des mains dans l'eau, le visage mouillé, vainqueur, le chien profitait de sa joie pour boire dans son dos, et il semblait à Blanche que son enfance se moquait d'elle, qu'à ce moment précis elle ne pouvait pas compter dessus, que les personnages sur l'image se fichaient de son malheur.

Blanche passa son ongle long et sale sous le cliché, qui se détacha d'un coup. Elle voulait enfouir ce trésor sous son oreiller. Mais au dos de la photo, elle découvrit quelques mots de son père, tracés de sa belle écriture d'homme rigoureux :

Ce dimanche-là, nous avions emporté la grande bassine au bord de l'étang. Marianne ne voulait pas que les petits se baignent dans la vase. On ne voit que les enfants sur le cliché : il faut imaginer Émilienne qui trempe ses pieds dans l'eau,

Marianne qui tente de repousser le chien, et moi qui ne dis rien, car c'est ici que le monde s'arrête et que le bonheur commence.

Le texte, finement calligraphié, tenait entièrement dans ce petit carré. Blanche plissait les yeux pour décrypter chaque lettre tant les mots se serraient.

La fille Émard relut dix fois le message de son père. Elle imagina sa grand-mère, plus jeune, assise au bord de l'étang : Blanche avait presque cinq ans lorsque la photo avait été prise, mais sa mémoire avait gommé les détails du lieu, du moment, et des autres. Le chien ne jouait pas avec eux, il buvait l'eau du bain. Marianne le houspillait, répétant sans doute « va-t'en, va-t'en », et cela amusait beaucoup son mari, ébloui par la lumière. Blanche sentit son cœur – ou ce qu'il en restait – pourrir dans sa poitrine, tel un fruit qui noircit et se vide. La terre du bonheur, la terre promise d'Étienne, était vendue.

Vendue.

Blanche répéta ce mot, se balançant d'avant en arrière, malade, folle, privée de nourriture. Elle chantait une mélodie désespérée : la terre. N'ayant plus une larme à pleurer, l'orpheline se mordit l'intérieur des joues jusqu'à ce que le sang coule dans sa gorge ; son goût l'apaisa instantanément, elle en aimait la texture, l'épaisseur, la chaleur aussi. Depuis des semaines elle avait si froid, ce sang ravivait sa mémoire, ses muscles et son désir. Alors la trahison d'Alexandre devint si nette, si précise qu'elle faillit perdre connaissance : elle avait perdu pour lui son amour, sa dignité, et sa terre.

Au-delà même de sa propre vie, Alexandre, en achetant les terres de l'étang, enlevait à Étienne le bonheur qu'il avait trouvé ici, il balayait en une signature au bas d'un contrat la vie de la famille Émard, quand elle était encore solide, enracinée. Il se donnait le droit de tirer un trait sur ces enfants, sur cette bassine, sur ce chien qui buvait dedans.

Remplir

Blanche avança à quatre pattes sur ce parquet où elle avait vu Louis, allongé, le visage déformé par les coups de son père. À moitié consciente, elle croyait distinguer sur les murs le visage du commis ; les couleurs changeaient, ses yeux semblaient tantôt vides, tantôt noirs et pleins. Elle raclait des genoux le sol de sa chambre, et le visage de Louis disparaissait, trait après trait, laissant la place à celui d'Alexandre. Blanche secouait la tête pour le chasser mais sur le mur la bouche de son grand amour formait des mots qu'elle n'entendait pas. Les volets clos filtraient la lumière du jour ; les rayons égorgeaient le souvenir d'Alexandre.

Puis Blanche se recroquevilla dans un coin de la pièce. Devant elle, le lit défait, la porte fermée à clé, la caisse avec le couvercle de côté et le cahier, tombé par terre. Sa vie entière contenue dans cette chambre sombre, autour de ce lit qui avait connu l'amour de Marianne et Étienne, de Blanche et Alexandre. La fille Émard se revoyait contre les oreillers, dans les bras de l'homme qu'elle aimait et qui ne l'aimait pas.

Le souvenir de leurs étreintes contractait son ventre : des crampes la plièrent en deux. Gémissante, Blanche releva la tête, ses deux bras ramenés sous sa poitrine, et au-dessus d'elle, le long des plinthes et des fenêtres, elle compta les faucheux, les araignées qui occupaient l'espace, tourbillonnant sur leur toile. Dans la pénombre, Blanche avait du mal à les voir : deux d'entre elles se déplaçaient à quelques centimètres de sa tête, leur toile ondulait et Blanche fixa, paupières mi-closes, la danse des pattes fines qui calmait ses crampes. Dès qu'elle put se déplier sans douleur, Blanche attrapa l'araignée la plus proche de sa bouche et répéta le geste qu'elle avait fait douze ans plus tôt : elle l'avala, sans la mâcher, sans rien sentir sur sa langue qu'une saveur fade. La manœuvre avait fait tomber une seconde araignée, qui gisait près de la cheville de Blanche ; elle bougeait et très vite elle la saisit dans sa paume, la bête glissa de la main à la gorge. Le corps de Blanche frissonna, avide, un oiseau déployait ses ailes entre ses seins et son sexe, demandait la becquée, affamé, suppliant, et Blanche, excitée par le goût du sang ou de la chitine, scruta chaque centimètre de mur à la recherche d'un autre être vivant qu'elle pourrait mordre.

Les jours suivants, elle fut une bête : elle mangeait des animaux qu'elle attrapait dans le périmètre ridicule de cette chambre, les yeux habitués à la pénombre, le corps disloqué. Blanche ne s'endormait qu'une fois son œuvre accomplie, et lorsqu'elle se réveillait, la chasse recommençait. Le lendemain de son premier festin, elle ouvrit la fenêtre pour laisser entrer tout ce que les environs recelaient de bestioles ; elle imaginait qu'une souris traverserait la pièce, alors elle n'aurait aucune pitié, aucune.

Peu à peu, Blanche se redressa. Mais les jours passaient, les plateaux devant la porte finissaient intacts sur la table de la salle à manger. Louis s'inquiétait, il entendait Blanche bouger, il l'appelait, elle ne répondait pas, et pourtant il l'entendait distinctement. Parfois, il lui semblait même qu'elle sautait, qu'elle s'agrippait en vain aux murs. Louis se demandait où elle puisait cette énergie et Émilienne regardait l'angoisse gagner les traits de son commis, répétant :

— Mais quel raffut !

Louis n'avait pas la force d'en rire. La nuit, il rêvait qu'il défonçait la porte de la chambre et qu'il emportait Blanche dans la sienne, il la couchait dans son lit et dormait à ses pieds, par terre, chien attentif, à l'affût du moindre gémissement, prêt à tout pour qu'elle guérisse d'Alexandre.

Venger

— Louis ?

Le commis dévisagea Blanche, stupéfait.

— Il faut que tu manges, gronda Émilienne.

Blanche n'avait même pas levé la tête.

— Je n'ai pas faim.

— Je m'en fiche, répondit sa grand-mère en poussant vers elle une assiette pleine. Il faut manger.

Le fantôme de Blanche investissait la pièce, pas à pas. Son corps semblait aussi léger que sa respiration était lourde : chaque geste pesait sur cette poitrine si difficile à soulever. Le trajet des veines sous la peau privée de ses couleurs vivantes dessinait des tiges tordues sur ses bras, son cou, ses tempes. Elle perdait ses cheveux, qui restaient en suspens dans l'air, Louis les voyait retomber par terre et il aurait voulu se jeter dessus, les assembler en un bouquet pour les lui offrir. Émilienne et son commis ne l'avaient pas entendue descendre, les lattes du parquet ne craquaient plus sur son passage, l'escalier d'ordinaire si sonore n'avait pas grincé.

La jeune femme s'assit à table. Son corps, d'une maigreur affolante, semblait sur le point de se disloquer. Louis évitait de regarder ailleurs que dans ses grands yeux verts tant la vue de ses bras sans chair, de ses jambes sans muscles l'écœurait. Blanche avait disparu, il ne restait que ses yeux, la douleur.

— Louis, je veux que tu prennes des vacances, articula-t-elle.

— Et puis quoi encore ?

Il dévorait ses pommes de terre, on aurait dit qu'il n'avait pas mangé depuis des mois. Blanche lisait la fatigue dans la raideur de ses gestes : ses épaules se voûtaient, Louis avait quarante et un ans mais il paraissait, devant cette table, à cette heure-ci du jour où le blanc du ciel envahissait tout, dix ans de plus.

— Louis, tu prends des vacances. Au moins deux semaines. Sinon je te vire, reprit Blanche, d'une voix indifférente.

Il leva les yeux de son assiette. Sa main, en suspens, décrivait de légers cercles, creusant un tunnel invisible entre eux.

— Tu ne ferais pas ça.

— En ce moment, je suis prête à tout.

Émilienne acquiesça.

— Fais ce qu'elle dit, Louis.

Surgir

Dès le lendemain, Blanche prit la relève, à cinq heures du matin. D'abord les vaches, qu'elle appela et qui vinrent, lentement. Blanche pesta :

— Oui, ce n'est pas Louis, ce n'est pas une raison pour me faire attendre.

Ensuite les poules. Elle lava la voiture, prépara le petit déjeuner d'Émilienne, se rendit chez Gabriel, à qui elle confia les jeudis de marché pour les semaines à venir. Devant le spectacle du corps de sa sœur, Gabriel ne put dire un mot. Blanche le félicita pour son mariage. «Je suis là si vous avez besoin de quoi que ce soit», ajouta-t-elle. Gêné, Gabriel écarquilla les yeux, souffla un remerciement rapide qui valait pour le reste, pour ce qu'ils ne s'étaient jamais dit.

L'après-midi, Blanche descendit au village, à pied. Un pas en avant en paraissait cent, tant elle manquait de force, mais elle puisait son énergie dans la colère qui l'habitait. Au Marché, elle s'installa en terrasse, commanda une bière, cela faisait si longtemps qu'elle n'en avait pas bu une, encore moins si tôt dans la journée. Aurore la lui apporta. La terrasse était déserte. Elle lui proposa de lui faire à manger, une assiette de quelque chose, elle trouvait Blanche livide et si maigre, se demandant comment elle tenait debout. Blanche répondit, agacée, «ça n'a pas d'importance, je tiens». Puis elle paya, laissa Aurore seule, devant cette table bancale de ce village oublié qui portait encore les traces du passage d'Alexandre.

Sur le chemin du Paradis, elle s'arrêta au virage en épingle où ses parents avaient péri. Rien n'indiquait qu'un drame avait eu lieu ici, l'herbe était aussi verte que les yeux des femmes de la famille Émard, les arbres montaient très haut; on entendait le ronronnement d'une tronçonneuse, au loin. Le goudron dessinait un grand sourire noir au visage de la forêt. Blanche s'avança jusque dans le fossé, où elle descendit, et là, debout dans les herbes folles, elle murmura «tout va rentrer dans l'ordre».

Lorsqu'elle arriva au domaine, le corps raide, Blanche marcha jusqu'à la bassie, un robinet en fer planté au-dessus d'une dalle trouée où Louis vidait le lait caillé et l'eau trouble des abreuvoirs. La bassie, humide en toute saison, occupait un renfoncement entre le chemin de la fosse à cochons et la dépendance des foins. Louis s'y lavait les mains avant de rentrer, l'été il passait la tête sous le jet d'eau glacé et la fraîcheur descendait dans son dos. Ses muscles s'ébrouaient sous sa peau tendue, marquée aux genoux, aux coudes et aux chevilles, à cause de sa combinaison qui frottait sans cesse, des vaches qui fonçaient, des cochons qui flairaient. La queue du chien, dans la cour, giflait ses jambes. Louis avait l'habitude d'être frappé. Quand ces claques, ces morsures, ces griffures venaient du domaine, il baissait la tête, acceptant ces douleurs légères avec bienveillance et résignation.

Sortant du poulailler, la veille de ses vacances forcées, Louis vit Blanche contourner la grange et disparaître dans le renfoncement. Il cligna des yeux, surpris qu'elle ne rentre pas, ne l'ayant pas vue, depuis des semaines, prendre la direction de la fosse, et encore moins de la bassie. Louis lâcha son seau de grains, attirant une dizaine de pintades autour de ses jambes et, se frayant un chemin au milieu des plumes et des chiures entassées, il suivit, sans un bruit, le chemin de Blanche. Le domaine bruissait des derniers chants du printemps. Bientôt, l'été enfermerait hommes et bêtes dans sa prison de feu. Les hirondelles au bord du Sombre-Étang cherchaient le frais, et des crapauds sonores lançaient des hymnes à travers les buis, les branches des hauts arbres les retenaient. Louis sentait des bêtes à bon Dieu courir dans le creux de ses épaules, il ne bougeait pas de peur que Blanche ne devine sa présence. Lorsqu'il fut à l'angle de la grange, devant le chemin barré d'herbes hautes et d'orties velues, il s'appuya contre le mur, le dos bien droit, la tête penchée en avant.

À genoux sur la barre, les cheveux détachés, les jambes entrouvertes, Blanche buvait l'eau glacée, assoiffée, sa nuque faisant un drôle d'angle sous le robinet. Louis fut pris d'un haut-le-cœur : les bras de Blanche pendaient de chaque côté de ses flancs, inutiles, les os de ses pommettes saillaient. Blanche but un long moment, elle prenait peu d'air, avalant cette eau froide jusqu'à se remplir. Quand elle eut terminé, Louis recula, pensant qu'elle allait remonter à la maison, mais il entendit le frottement de son pantalon sur la barre. Alors il se pencha un peu plus en avant.

Blanche était toujours à genoux. Son pantalon gisait sur l'herbe, ses jambes allumettes, repliées sous ses cuisses, rosissaient. L'eau coulait toujours du robinet : Blanche dévia le jet du plat de la main entre ses cuisses, d'un bras elle se tint au robinet, de l'autre elle dirigeait l'eau – si froide, pensa Louis – contre son sexe, dans son sexe, qu'elle frictionna si fort que Louis ressentit dans son bas-ventre les brûlures que ce geste et la température de l'eau infligeaient à Blanche. Les doigts armés de phalanges raides et d'ongles longs, elle lustrait cette fente où Alexandre s'était à maintes reprises enfoncé, où elle avait accepté, voulu et redemandé qu'il s'enfonce de nouveau. À présent, sous les yeux ébahis de Louis elle se vidait d'Alexandre, grattait ses parois jusqu'au sang, nettoyait les traces de son passage, les restes de leurs après-midi au creux des draps brodés de la famille Émard. Elle se rinçait en bête blessée, ratatinée sur elle-même, à moitié nue, l'eau coulait sur ses cuisses et finissait sous la terre avec le lait, la bouse, la vase et le peu qu'Alexandre avait laissé de lui. Elle frottait si fort, du sang s'échappait d'entre ses doigts et fuyait dans la rigole.

Au milieu du royaume des poules, le seau vidé de ses grains siégeait pauvrement. Les oies enfonçaient leur bec à l'intérieur, n'y trouvant rien elles cacardaient de concert. Louis les chassa du pied. Il partirait le lendemain.

Les dix jours suivants ressemblèrent à ce premier matin. Les vaches, les poules, Émilienne, Gabriel, le Marché, Aurore. La pause dans le fossé du virage en épingle. Chaque jour, elle leur répétait « si vous avez besoin de quoi que ce soit, n'hésitez pas ». Elle mangeait si peu. Dormait encore moins. Le soir, elle couchait Émilienne. Il lui arrivait de fumer une cigarette sur les marches du Paradis. Louis ne donnait pas signe de vie. Blanche ne s'en inquiétait pas ; il reviendrait. Où qu'il soit, il reviendrait. Elle en était sûre. Le reste n'avait plus aucune importance, seul comptait le Paradis, et les hommes et les bêtes qu'il protégeait.

Trois jours avant le retour du commis, le matin, à neuf heures trente, elle appela l'agence où travaillait Alexandre. Une jeune femme lui demanda de patienter quelques instants.

— Bonjour, je suis Alexandre, votre conseiller, que puis-je faire pour vous ?

— C'est Blanche.

Silence au bout du fil. Elle entendit le bruit du téléphone qu'on déplace, d'une porte qu'on ferme, d'une chaise qu'on tire.

— Oui ?

— Je veux tout vendre.

Nouveau silence. Elle sentit la respiration d'Alexandre, qu'elle connaissait si bien, dans laquelle elle s'était perdue. Elle l'entendit très distinctement : l'excitation. Sans doute ses yeux brillaient-ils du cadeau qui s'offrait à lui. Le Paradis. En entier.

— De quoi parles-tu ?

— Arrête de faire l'idiot, Émilienne m'a tout raconté.

— Nous nous sommes mis d'accord, elle et moi, anticipa Alexandre.

Blanche prit sa voix la plus résignée :

— Je veux tout vendre. Pas seulement l'étang.
Le reste aussi.

Il toussa. Elle éloigna le téléphone de son oreille.

— Je suis prête, avec Émilienne, à te vendre les
terrains près de la route, reprit-elle.

Sa facilité à mentir l'étonnait elle-même. Plus un
bruit. Blanche crut qu'il avait raccroché.

— Alexandre, tu es là ?

— Oui.

Voix de petit garçon.

— Viens au Paradis après-demain, nous en
reparlerons.

Il rit nerveusement.

— Où est le piège ? Louis m'attend pour me
casser la gueule, c'est ça ?

— Louis n'est plus là.

Blanche n'avait pas besoin d'être dans la même
pièce pour voir le visage d'Alexandre se transformer sous l'effet de toutes les informations qu'il
recevait, impossibles à démêler.

— Pourquoi est-ce que tu ferais ça ?

Blanche prit une longue inspiration.

— Louis est parti, Émilienne est plus que vieille
et – elle hésita quelques secondes – tu es trop présent, ici. Je vends tout. Je ne pourrai pas tenir la
ferme toute seule. Soit tu viens demain, soit j'appelle une autre agence.

Puis elle raccrocha. Derrière elle, dans le vestibule, Émilienne la regardait avec des yeux désolés.

—J'espère que tu sais ce que tu fais.

En soufflant, elle sortit, difficilement. Poussée par la brise de fin d'après-midi, la porte grinça, et Blanche, une dernière fois, revit Alexandre, devant sa femme et son fils, la salir de honte.

Mordre

Les couleurs de la vie quittaient Blanche. Elle marchait dans la maison, fatiguée de répéter chaque matin les mêmes mouvements. Ses cheveux, plus secs que du foin, étaient noués sur le haut de son crâne en une boule compacte, pelote de laine craquée. Tirés en arrière, ils dégageaient son visage, jadis conquérant, où ne subsistait que la ligne des os autour des yeux, de la bouche et des oreilles. À présent, défigurée par la faim et le désir de vengeance, elle ne retenait rien que le vert, désormais pâle et froid, de ce regard fixé sur l'heure qui approchait, le moment où Blanche rassemblerait toute sa rage.

Les vaches.

La grange. Les poules.

Émilienne. Le petit déjeuner.

Blanche prit une douche à midi : dans la salle de bains qu'elle avait désertée pendant des jours, la glace au-dessus du lavabo lui renvoya l'image décharnée d'elle-même. Rapidement, la vapeur chaude gomma ce qui restait de son corps, brouillant sa vie, marquant sa peau de cercles rouges et douloureux. Elle distingua à peine les contours de sa silhouette dans ce miroir où pourtant, en de rares occasions, elle avait aimé se regarder nue, s'admirer, penser que ces fesses, ce nombril et ces seins plaisaient à Alexandre.

Au déjeuner, elle vida un grand verre de lait et coupa en tranches fines une tomate. Elle fit la vaisselle et sécha les assiettes, les couverts et le grand plat avec un torchon propre. Courbée sur sa chaise, Émilienne suivait des yeux ce squelette qui cliquetait dans sa cuisine, exerçant ses articulations fragiles à la vie quotidienne, où chaque mouvement était devenu un supplice.

Blanche se rendit chez Gabriel. Il lui annonça qu'il avait trouvé du travail, à l'école primaire. Il garderait les plus âgés en classe de permanence, pendant une heure et demie, tous les jours, et peut-être ensuite aussi le matin, avant les cours. Blanche le félicita. Il voulut la serrer dans ses bras mais elle l'effrayait, si sûre d'elle dans ce corps qui disparaissait. Il se contenta d'un «au revoir» doux et triste quand elle quitta la maison pour se rendre jusqu'au village. Blanche marchait seule, très droite.

Elle s'assit à nouveau en terrasse. Aurore lui apporta une bière sans lui demander ce qu'elle voulait boire. Elles discutèrent de tout, des clients, des affaires, de l'argent qui entre et de l'argent qui sort, du temps qui n'est jamais ce que promet la météo. Blanche entendait sans écouter. Elle avait déjà quitté le Marché, la famille, le Paradis, sombrant dans ses abysses, concentrée sur ce qui arriverait, obsédée par la violence qu'elle retenait dans chacun de ses mouvements, dans chacune de ses paroles. Au bout d'un long quart d'heure, la fille Émard quitta la table bancale et s'en retourna chez elle.

Le ciel était d'un blanc d'acier qui blessait les yeux. Blanche se demanda si son père, quand il arpentait le Paradis, pensait à ce que ses enfants deviendraient, s'il s'imaginait que ces photos, ces schémas, ces notes de cette belle écriture d'avant seraient son ultime legs. Cet amour de la terre qui avait disparu dans un accident aussi bête que ces dessins au feutre.

Tout était parfaitement en ordre. À présent, elle voyait son reflet dans le regard des autres : celui d'une morte. Blanche prit une longue inspiration tandis qu'une voix du passé montait en elle, répétant à ce reflet décharné mais encore vivant : « Ne fais jamais de mal à un plus petit, ou tu souffriras par un plus fort. »

Vaincre

Émilienne lisait dans la salle à manger, à sa place. Alexandre cogna à la porte. Elle se leva très lentement, se traîna jusque dans l'entrée et appuya sur la poignée.

Il recula d'un pas, aussi surpris qu'elle.

— Blanche est là ?

— Elle va arriver d'un moment à l'autre, tu peux l'attendre à l'intérieur, lui dit Émilienne, comme absente.

Alexandre fit un pas en arrière puis il se ravisa, hésitant entre ce que la politesse lui dictait et son impatience à faire le tour du propriétaire.

— Je vais marcher, si ça ne vous dérange pas.

— Fais comme chez toi. Si tu veux aller jusqu'à l'étang, passe devant la fosse et prends le sentier, c'est plus pratique.

Alexandre suivit du regard le doigt qui lui indiquait un étroit passage à côté du poulailler.

D'un pas tendu, il traversa la cour. À mesure

qu'il s'éloignait du perron il se retrouva bientôt encerclé par les canards et les poules. Sa voiture était garée sur la grande route, dans le petit renfoncement qui menait à la ferme. Caché par les hautes cimes en bordure du poulailler, le soleil griffait la terre. L'ombre d'Alexandre le précédait. Il accéléra le pas, poursuivi par ses souvenirs. Quelque chose clochait : le domaine paraissait si calme, si paisible. Toute la basse-cour, qui l'avait escorté sur plusieurs mètres, s'en retourna à sa picore. Le chemin jusqu'à la fosse était bien dégagé, bien taillé sur les bords. Dans les fourrés des insectes bourdonnaient. Il eut soudain l'envie d'aller de ce côté, jusqu'au bout du domaine, comme pour en mesurer toute l'étendue.

Lorsqu'il s'approcha de la petite arène ceinte d'une clôture basse, Alexandre s'immobilisa. Attirés par son arrivée, les porcs couinaient. Le jeune homme se pencha sur la fosse. L'arène était peu profonde, large et propre. La partie ombragée, où d'ordinaire Louis vidait les épluchures, baignait dans la fraîcheur des grands chênes.

Les cochons grognaient de plus en plus fort. Il se rappela ce jour, dans la chambre, quand ils avaient fait pour la première fois l'amour tandis qu'en bas on saignait la bête, il se rappela son cri atroce, si long, si profond, si humain. Un frisson le parcourut. Le calme de la ferme jurait avec la frénésie des porcs, qui jetaient maintenant tout leur poids contre la palissade. Apeuré, Alexandre recula d'un pas. Au bruit de feuilles craquées, il sursauta. Quelqu'un était là, derrière lui.

Alexandre fit volte-face : le chemin, balayé par une légère brise, n'offrait que ses herbes sèches. Seul le bruit des poules, étouffé par la distance, troublait le silence.

— Il y a quelqu'un ?

Un meuglement lui répondit, au loin. Un frisson d'enfance lui parcourut l'échine, les vaches se moquaient de sa peur. Louis avait quitté le Paradis, Émilienne peinait à tenir sur ses deux jambes et Blanche, Blanche – il se répéta son nom en se massant les tempes pour chasser l'angoisse et recouvrer ses esprits –, Blanche était sur le point de faire de lui un homme riche. Alexandre s'accouda à la barrière : son cœur ralentit à l'idée du contrat qu'il signerait dans l'heure. Tête haute et yeux clos, il savoura. Il vivait là ses dernières minutes d'homme pauvre, de salarié dévolu, de père et d'époux laborieux. Ce soir, cet après-midi, il serait propriétaire.

Avant qu'il ait pu se retourner, il sentit quelque chose le pousser contre la porte de bois. Le loquet défait céda d'un coup et Alexandre bascula, de tout son grand corps, de son poids d'adulte si sûr de lui et bientôt riche, dans cette petite arène. Alors les bêtes se ruèrent sur lui, appelées par son odeur, par son sursaut. Il gisait dans la fosse, la cheville gauche tordue en un angle bizarre, les mains souillées par la terre et le lisier. Sonné, il tenta de se hisser sur ses

275

avant-bras. Une masse le retourna d'un coup sec et lourd, l'attaquant au ventre. Sa jambe traînait inerte derrière lui. Les bêtes l'encerclaient. Alexandre se mit à hurler, de toute sa peur. Les cochons, que Blanche n'avait pas nourris depuis deux semaines, reculèrent une seconde puis chargèrent, lacérant les vêtements, la peau, les entrailles de l'épouvantail qu'on venait de leur jeter. Alexandre hurla tant qu'il put, écartelé, prisonnier des bêtes voraces, et dans un cri horrible il vit le visage de Blanche, décharné, au-dessus du portillon.

Personne ne vint. Émilienne était vieille. Louis était ailleurs. Personne ne vint, sauf les cochons qui s'agitaient sur lui, affamés, excités par cette offrande tombée du ciel. Alexandre hurla encore puis perdit connaissance, broyé par les dents folles des porcs qui s'acharnaient, encore et encore, sur ce corps si beau, sur ce visage si charmant. Une large tache brune étendit ses pétales dans la fosse jusqu'à venir lécher les planches. Au moment où le corps cessa de trembler sous les groins ruisselant de sang et de viscères, Blanche se détacha du bord de la fosse et courut en gestes fous et désarticulés, pantin traversé par un courant électrique, jusqu'à la maison.

Abandonnée par le peu de forces qui lui restait, écrasée par sa démence, elle s'effondra dans le vestibule. Tout rivalisait en elle, la douleur, la vengeance, la férocité. Son amour mourait au Paradis, ainsi que meurent les grandes espérances.

Vivre

On retira le corps d'Alexandre, ou ce qu'il en restait. Les cochons furent abattus les uns après les autres. Ahurie, Blanche répondait aux questions qu'on répétait, deux, trois, quatre fois : à quelle heure, où étiez-vous, depuis quand n'avez-vous pas mangé un vrai repas, où est le commis, quelle était votre relation avec le défunt, elle disait « à telle heure, à tel endroit, je n'ai pas mangé depuis si longtemps, Louis est en vacances mais je ne sais pas où, Alexandre et moi avons été amoureux, puis amants, après il m'a quittée ». Elle répondait la vérité, toujours la vérité, et devant cette jeune femme que la vie avait fuie on tournait la tête, on regardait ailleurs. Elle faisait peine à voir, vraiment, Blanche dévorée par la mort.

Un cadavre de plus au Paradis, un décès empilé sur les autres. Le charnier de la famille Émard s'épaississait, on ne pensait qu'à cela en arrivant dans la cour : encore un mort. Qui sera le prochain ? Est-ce qu'ils vont continuer à vivre ici ? Impossible d'habiter des murs qui portent plus de fantômes que de vivants. La mort au Paradis.

Aurore et Louis furent appelés au commissariat le lendemain du drame. La veille, à trois heures, Gabriel était sur le chemin de l'école primaire pour passer un dernier entretien, on l'avait vu marcher vers le village. Aurore travaillait au bar. Quant à Louis, qu'on soupçonna plus que quiconque, il avait été vu en ville. Il y avait passé ses quinze jours de vacances, se présentant comme un acheteur potentiel à l'agence immobilière d'Alexandre. On l'avait bien accueilli : personne ne se doutait de sa véritable identité. Franchissant rarement les frontières du Paradis, en tout lieu Louis était un étranger.

Le patron l'avait reçu avec obséquiosité, et Louis, pendant deux semaines, l'avait poussé à lui faire visiter des maisons, des appartements. Puis, une fin d'après-midi, Louis avait proposé de prendre une bière, ils le méritaient bien après toutes ces visites. Tranquillement, Louis avait cuisiné ce type gentil, affamé d'argent, bon bougre. Ça n'avait pas été difficile : c'était un homme de commerce, il parlait comme il respirait, naturellement et fort. Louis avait dit qu'il pensait connaître un des employés vu au bureau et l'autre s'était esclaffé : « Ah oui ! Alexandre, le jeune marié ! » Et il s'était étendu sur le voyage de noces d'Alexandre en Nouvelle-Zélande avec sa femme, qui en rentrant avait fait une bonne vente auprès d'un certain Neyrie. Alexandre avait fanfaronné, mais les affaires tournaient peu cependant et le patron avait failli le virer, «dernier arrivé premier parti vous comprenez, monsieur». Alexandre avait supplié qu'on lui laisse une chance: il avait une idée, une idée brillante, acheter des terres agricoles dans des zones bientôt urbanisées, et les revendre en terrains constructibles. Quel fin garçon cet Alexandre, quel bel esprit. Louis hochait la tête, buvant plus que de raison, répétant: «On cherche tous un type de ce genre et quand on tombe dessus, on ne s'en sépare plus.»

L'été finissait enfin, avec l'arrivée des feuilles rouges et des vêlages. Blanche présidait le déjeuner de ce dimanche d'août pour la première fois, Émilienne avait cédé sa place. Aux côtés de la fille Émard, Louis veillait à ce que son assiette ne soit jamais vide, que ses couverts ne tombent pas sur le museau du chien au pied de sa maîtresse. Blanche lui glissait dans la gueule des peaux grillées, elle sentait sur ses doigts l'âpreté de sa langue et le lisse de ses crocs. Bientôt les eaux du Sombre-Étang seraient couvertes de nénuphars ronds et larges, on taillerait dru les feuillus pour l'hiver, Louis abattrait comme toujours des châtaigniers à l'approche du grand frais, Blanche disait que c'était le meilleur bois de chauffe. Elle répétait chaque jour les mêmes paroles, les mêmes gestes. Quand sa serviette tombait par terre Louis la ramassait et elle grinçait « mais pourquoi est-ce que tu te baisses, tu n'es pas un chien ? ». Il se relevait, posait la serviette sur la table, ou le torchon sur l'évier, Blanche marmonnait encore et il n'ajoutait rien.

Ce dimanche-là, Aurore et Gabriel étaient

venus plus tôt. Ils avaient aidé Louis en cuisine et dehors, la reine, sans se lever, donnait de temps à autre ses ordres. Ils s'activaient, elle croyait les mener, pointait la grange, la maison, le poulailler, et Louis acquiesçait. Rassurée, elle se ratatinait sur sa chaise, épaules saillantes de chaque côté de son cou mince et pâle. Quand elle voulait quelque chose, elle tapait deux fois sur la table, l'index et le majeur joints ; alors le commis allait chercher un plat, le sel, une carafe. Peu avant midi, Louis avait dressé le couvert, déplié la nappe aux initiales de la famille Émard, à l'ombre du chêne rouge, sur des cales de bois. La canicule courbait les feuilles des arbres. Blanche s'épongeait le front dès qu'elle quittait sa place ou tendait le bras par-dessus les assiettes. Gabriel, affougé sur la table, digérait la volaille qu'il avait dépiautée. Ses doigts laissaient des traces brunes sur la nappe. Avant même que Blanche ne s'en agace, Louis la rassurait « ça n'a pas d'importance ces choses-là, Blanche, ça n'a pas d'importance ».

— On va avoir un petit.

Aurore frissonna. Ça y est, Gabriel l'avait dit. Ils s'étaient concertés longtemps sur le bon jour, le bon endroit, la bonne heure pour annoncer la nouvelle. Tous furent saisis. Blanche, elle, fixait les marches du perron, mains à plat sur sa robe d'été bleu ciel qui la couvrait comme un linceul. Elle ne bougeait pas, bouche ouverte sans qu'aucun son n'en sorte.

— Blanche ? C'est merveilleux, ils vont avoir un enfant !

Lentement, elle tourna son visage vers Louis : entre ses joues creuses et livides que le manque de sommeil grisait par endroits, ses lèvres frémirent. Aurore se serra contre Gabriel. Il semblait que Blanche avait abandonné sa carcasse, que son esprit vagabondait hors d'elle-même, indifférente au trouble qu'elle causait. La fille Émard murmura, les yeux secs :

— Allons le dire à Alexandre, il sera heureux de l'apprendre.

Et d'un geste mécanique, elle mit la main à la poche de sa robe, en sortit trois tiges de fleurs desséchées par la chaleur, de ces fleurs qui poussent, en toute saison, au bord du chemin, petit bouquet de campagne qu'elle déposerait, comme chaque jour, dans la fosse à cochons. Puis chancelante sur ses jambes osseuses, elle se leva et écarta les bras dans un élan désarticulé où tout son corps sembla se déchirer en deux, de la gorge au nombril. La tête jetée en arrière, elle étreignit cette cour, ce poulailler, cette maison et ces prés au loin, cette grange et ce Sombre-Étang, rompue par l'amour fou qu'elle portait au Paradis.

L'autrice remercie vivement Marie Nimier et Sylvie Pereira pour son conseil éditorial.

PAPIER À BASE DE
FIBRES CERTIFIÉES

Le Livre de Poche s'engage pour
l'environnement en réduisant
l'empreinte carbone de ses livres.
Celle de cet exemplaire est de :
200 g éq. CO$_2$
Rendez-vous sur
www.livredepoche-durable.fr

Composition réalisée par Soft Office

Achevé d'imprimer en septembre 2021, en France par
Maury Imprimeur – 45330 Malesherbes
N° d'imprimeur : 257244
Dépôt légal 1ʳᵉ publication : février 2021
Édition 04 – septembre 2021
LIBRAIRIE GÉNÉRALE FRANÇAISE
21, rue du Montparnasse – 75298 Paris Cedex 06

27/2537/6